科《か》学《がく》探《たん》偵《てい》　謎《なぞ》野《の》真《しん》実《じつ》シリーズ

科学探偵 vs.

超・自然現象

前編

もくじ

この本《ほん》の楽《たの》しみ方《かた》

この本《ほん》のお話《はなし》は、事件《じけん》編《へん》と解決編《かいけつへん》に分《わ》かれています。登場人物《とうじょうじんぶつ》と一《いっ》緒《しょ》にナゾ解《と》きをして、事件《じけん》の真相《しんそう》を見《み》つけてください。ヒントはすべて、文章《ぶんしょう》と絵《え》の中《なか》にあります。

登場人物《とうじょうじんぶつ》

謎野真実《なぞのしんじつ》

エリート探偵育成学校《たんていいくせいがっこう》・
ホームズ学園《がくえん》出身《しゅっしん》で、
天才的《てんさいてき》な頭脳《ずのう》と幅広《はばひろ》い科学知識《かがくちしき》を持《も》つ。
「科学《かがく》で解《と》けないナゾはない」が信条《しんじょう》。
新聞記者《しんぶんきしゃ》・江古田《えこた》の頼《たの》みで
日本各地《にほんかくち》の超常現象《ちょうじょうげんしょう》を取材《しゅざい》することに。

宮下健太《みやしたけんた》

成績《せいせき》もスポーツも
中《ちゅう》ぐらいの
〝ミスター平均点《へいきんてん》〟。
超《ちょう》ビビリだが、
不思議《ふしぎ》なことが大好《だいす》き。
妖怪《ようかい》と昆虫《こんちゅう》には目《め》がない。

清井心也《きよいしんや》

有名企業《ゆうめいきぎょう》「ハピネス・ピープルズ」社長《しゃちょう》。

花森町《はなもりちょう》に人《ひと》と自然《しぜん》と生《い》き物《もの》の調和《ちょうわ》が取《と》れたモデルタウン「エデン」をつくる「エデン・プロジェクト」を進《すす》めているが、不気味《ぶきみ》な嫌《いや》がらせにあう。

ドクター・モリー

最近来日《さいきんらいにち》した女性獣医師《じょせいじゅういし》。

北海道《ほっかいどう》と和歌山《わかやま》で真実《しんじつ》たちと出会《であ》う。

青井美希《あおいみき》

花森小学校《はなもりしょうがっこう》の新聞部部長《しんぶんぶぶちょう》で、ジャーナリスト志望《しぼう》。

真実《しんじつ》、健太《けんた》と超常現象《ちょうじょうげんしょう》を取材《しゅざい》し「解決《かいけつ》！　超常現象《ちょうじょうげんしょう》ハンター」を全国紙《ぜんこくし》の新聞《しんぶん》に連載《れんさい》することに。

大前先生《おおまえせんせい》

真実《しんじつ》、健太《けんた》の担任《たんにん》。

理科《りか》クラブの顧問《こもん》。

浜田先生《はまだせんせい》

6年生《ねんせい》の学年主任《がくねんしゅにん》。

あだ名《な》は「ハマセン」。

江古田孝太郎《えこたこうたろう》

美希《みき》の父親《ちちおや》の先輩《せんぱい》であるベテラン新聞記者《しんぶんきしゃ》。

日本各地《にほんかくち》で勤務経験《きんむけいけん》がある。

真実《しんじつ》、美希《みき》、健太《けんた》に、日本各地《にほんかくち》の超常現象《ちょうじょうげんしょう》のナゾ解《と》きを依頼《いらい》する。

「皆《みな》さん、自然《しぜん》の破壊《はかい》はもう手《て》のつけられないところまできています！　私《わたし》たちは何《なに》をするべきか。その答《こた》えが『エデン・プロジェクト』にあります！」

ある初夏《しょか》の日《ひ》。青空《あおぞら》の下《した》、花森町《はなもりちょう》の外《はず》れにある花森山《はなもりやま》のふもとには、多《おお》くの人《ひと》が集《あつ》まっていた。聴衆《ちょうしゅう》の前《まえ》で壇上《だんじょう》に立《た》っているのは、世界各地《せかいかくち》で環境《かんきょう》を重視《じゅうし》した様々《さまざま》な事業《じぎょう》を行《おこな》っている有名企業《ゆうめいきぎょう》「ハピネス・ピープルズ」の社長《しゃちょう》に就任《しゅうにん》した清井心也《きよいしんや》だ。

清井社長《きよいしゃちょう》はこの日《ひ》、花森山全体《はなもりやまぜんたい》を開発《かいはつ》して「1000年続《ねんつづ》く、人《ひと》と自然《しぜん》と生《い》き物《もの》の調和《ちょうわ》が取《と》れたモデルタウン＝『エデン』」をつくる「エデン・プロジェクト」の責任者《せきにんしゃ》として、プロジェクト開始《かいし》のあいさつをしていた。

「我々人間《われわれにんげん》は、自然《しぜん》の一部《いちぶ》。これからの時代《じだい》、自然《しぜん》を愛《あい》するエコの精神《せいしん》が何《なに》よりも大切《たいせつ》なのです！　ここ『エデン』は、あらゆるごみをわが社《しゃ》の技術《ぎじゅつ》を駆使《くし》して有効活用《ゆうこうかつよう》し、人《ひと》と自然《しぜん》が共存《きょうそん》することができる夢《ゆめ》のエコタウンです。やがては花森町全体《はなもりちょうぜんたい》が、エデンを中心《ちゅうしん》としたエコタウンに生《う》まれ変《か》わるでしょう！」

清井《きよい》の自信《じしん》に満《み》ちた言葉《ことば》に、人々《ひとびと》は拍手《はくしゅ》を送《おく》る。清井《きよい》も満面《まんめん》の笑《え》みを浮《う》かべた。

だがそのとき、清井《きよい》の目《め》の前《まえ》に何《なに》かが落《お》ちてきた。

「ん、どうしてこんなものが？」

それは、「生《なま》ごみ」だ。清井《きよい》は戸惑《とまど》いながら、空《そら》を見上《みあ》げる。

次《つぎ》の瞬間《しゅんかん》――、大量《たいりょう》の生《なま》ごみが、清井《きよい》に降《ふ》りかかるように落《お》ちてきた。

「うわああ！」

集《あつ》まっていた人々《ひとびと》は、信《しん》じられない出来事《できごと》にパニックになる。その中《なか》の一人《ひとり》が空《そら》を見《み》ると、１羽《わ》のタカが飛《と》んでいた。

「なんなんだ、一体《いったい》⁇」

生《なま》ごみまみれになった清井《きよい》は、目《め》の前《まえ》の地面《じめん》に、いつの間《ま》にか１通《つう》の手紙《てがみ》が落《お》ちていることに気《き》づいた。手紙《てがみ》には、動物《どうぶつ》の頭《ず》がい骨《こつ》のようなマークが描《えが》かれている。

「これは……」

清井《きよい》の表情《ひょうじょう》が、一気《いっき》に険《けわ》しくなった。

一方《いっぽう》、タカは清井《きよい》たちのいる場所《ばしょ》から少《すこ》し離《はな》れた森《もり》の中《なか》に立《た》つ、一人《ひとり》の人物《じんぶつ》のそばへと飛《と》んでいくと、革手袋《かわてぶくろ》をつけた手《て》に着地《ちゃくち》した。

タカを見《み》て、その人物《じんぶつ》はほほ笑《え》む。そして、森《もり》の向《む》こうにかすかに見《み》える清井《きよい》たちのいる

場所《ばしょ》を、するどい目《め》つきで眺《なが》めた。

やがて、１羽《わ》と一人《ひとり》は、森《もり》の中《なか》へ消《き》えていった。


「あれは絶対《ぜったい》、怪奇現象《かいきげんしょう》の『ファフロツキーズ現象《げんしょう》』だよ！」

翌朝《よくあさ》。小学《しょうがく》６年生《ねんせい》の宮下健太《みやしたけんた》は、花森小学校《はなもりしょうがっこう》へ向《む》かいながら、昨日《きのう》起《お》きた出来事《できごと》を話《はな》していた。「ファフロツキーズ現象《げんしょう》」とは、空《そら》からカエルや魚《さかな》が落《お》ちてくる怪奇現象《かいきげんしょう》のことだ。

すると、となりを歩《ある》いていた少年《しょうねん》が口《くち》を開《ひら》いた。

「『ファフロツキーズ現象《げんしょう》』は怪奇現象《かいきげんしょう》じゃないよ。科学《かがく》で説明《せつめい》できる現象《げんしょう》だよ」

「えっ、どういうこと、真実《しんじつ》くん？」

彼《かれ》は健太《けんた》の親友《しんゆう》で、今《いま》まで数々《かずかず》の難事件《なんじけん》を科学《かがく》の知識《ちしき》で解決《かいけつ》してきた、科学探偵《かがくたんてい》・謎野真《なぞのしん》実《じつ》である。

「『ファフロツキーズ現象《げんしょう》』は、小《ちい》さな生《い》き物《もの》や物《もの》が竜巻《たつまき》に巻《ま》きこまれて起《お》こる可能性《かのうせい》があるんだよ」

真実《しんじつ》は、健太《けんた》に言《い》う。巻《ま》きこまれた生《い》き物《もの》や物《もの》は上空《じょうくう》に巻《ま》き上《あ》げられ、やがて空《そら》から落《お》ちてくるのだ。

「そうなんだ。だけど昨日《きのう》、清井社長《きよいしゃちょう》が話《はなし》をしていたとき、周《まわ》りには竜巻《たつまき》なんて起《お》こっていなかったみたいだよ」

「それなら、エサを食《た》べた鳥《とり》のしわざかもしれないね。空《そら》を飛《と》んでいるとき、何《なに》かの拍子《ひょうし》にびっくりして、食《た》べたエサを吐《は》き出《だ》してしまったのかもしれない」

真実《しんじつ》は自分《じぶん》でそう言《い》いながら、ふと、口元《くちもと》に手《て》を当《あ》てた。

「けれどその場合《ばあい》、大量《たいりょう》には落《お》ちてこないよね。しかも、落《お》ちてきたのは生《なま》ごみだった。

……これはもう少《すこ》しくわしく調《しら》べる必要《ひつよう》があるようだね」

真実《しんじつ》は笑《え》みを浮《う》かべる。エリートの探偵《たんてい》を育成《いくせい》するホームズ学園《がくえん》から、健太《けんた》のいる花森《はなもり》小学校《しょうがっこう》に転校《てんこう》してきた真実《しんじつ》は、ナゾが難《むずか》しければ難《むずか》しいほど、それを解《と》きたいと思《おも》う性格《せいかく》なのだ。

そこへ、健太《けんた》の幼《おさな》なじみで、花森小学校新聞部《はなもりしょうがっこうしんぶんぶ》の部長《ぶちょう》をしている青井美希《あおいみき》がやってきた。

「真実《しんじつ》くん、あなたに新聞社《しんぶんしゃ》から取材《しゅざい》の依頼《いらい》が来《き》たわよ！」

「取材《しゅざい》って、真実《しんじつ》くんがインタビューを受《う》けるってこと？」

「そうじゃないよ、健太《けんた》くん。真実《しんじつ》くんが取材《しゅざい》をする側《がわ》よ」

「ええ？」

「私《わたし》のお父《とう》さんが新聞社《しんぶんしゃ》で働《はたら》いてるでしょ。お父《とう》さんの先輩《せんぱい》の記者《きしゃ》が、真実《しんじつ》くんにある事件《じけん》の取材《しゅざい》をして、ナゾを解《と》いてほしいんだって。真実《しんじつ》くんが数々《かずかず》の事件《じけん》を解決《かいけつ》してきたのを知《し》って、絶対《ぜったい》にそのナゾを解《と》けると思《おも》ったみたい」

「すごい、真実《しんじつ》くん、新聞記者《しんぶんきしゃ》さんにも注目《ちゅうもく》されてるんだね」

「注目《ちゅうもく》されるのはあまり好《す》きじゃないけどね。それで、美希《みき》さん、その事件《じけん》というのはどういうものなんだい？」

「くわしい内容《ないよう》は教《おし》えてもらってないけど、怪奇現象《かいきげんしょう》が起《お》きたらしいの」

「怪奇現象《かいきげんしょう》!?　それって昨日《きのう》のファフロッキーズ現象《げんしょう》じゃないよね？」

健太《けんた》がたずねると、美希《みき》は大《おお》きく首《くび》を横《よこ》にふった。

「あんなの、でっちあげよ。ほら、前《まえ》に※アイチューバーのハイテンション・アガルがファフロッキーズ現象《げんしょう》の動画《どうが》をあげていたけど、ウソだったでしょ。こっちはほんとに不思議《ふしぎ》な事件《じけん》らしいわよ。真実《しんじつ》くん、記事《きじ》はもちろん、新聞部《しんぶんぶ》の部長《ぶちょう》である私《わたし》が書《か》くわ」

※『科学探偵《かがくたんてい》 ｖｓ《ブイエス》．妖魔《ようま》の村《むら》』参照《さんしょう》。

美希《みき》は、全国紙《ぜんこくし》の新聞《しんぶん》に記事《きじ》を書《か》きたくてしかたがないようだ。

「なるほど、興味深《きょうみぶか》い事件《じけん》のようだね」

「真実《しんじつ》くん、依頼《いらい》を受《う》けるの？」

前《まえ》のめりになる美希《みき》に、真実《しんじつ》はうなずく。

「まずは、記者《きしゃ》さんに話《はなし》を聞《き》いてみよう」

「そうこなくっちゃ！　それじゃあ放課後《ほうかご》、さっそく会《あ》いにいきましょ！」

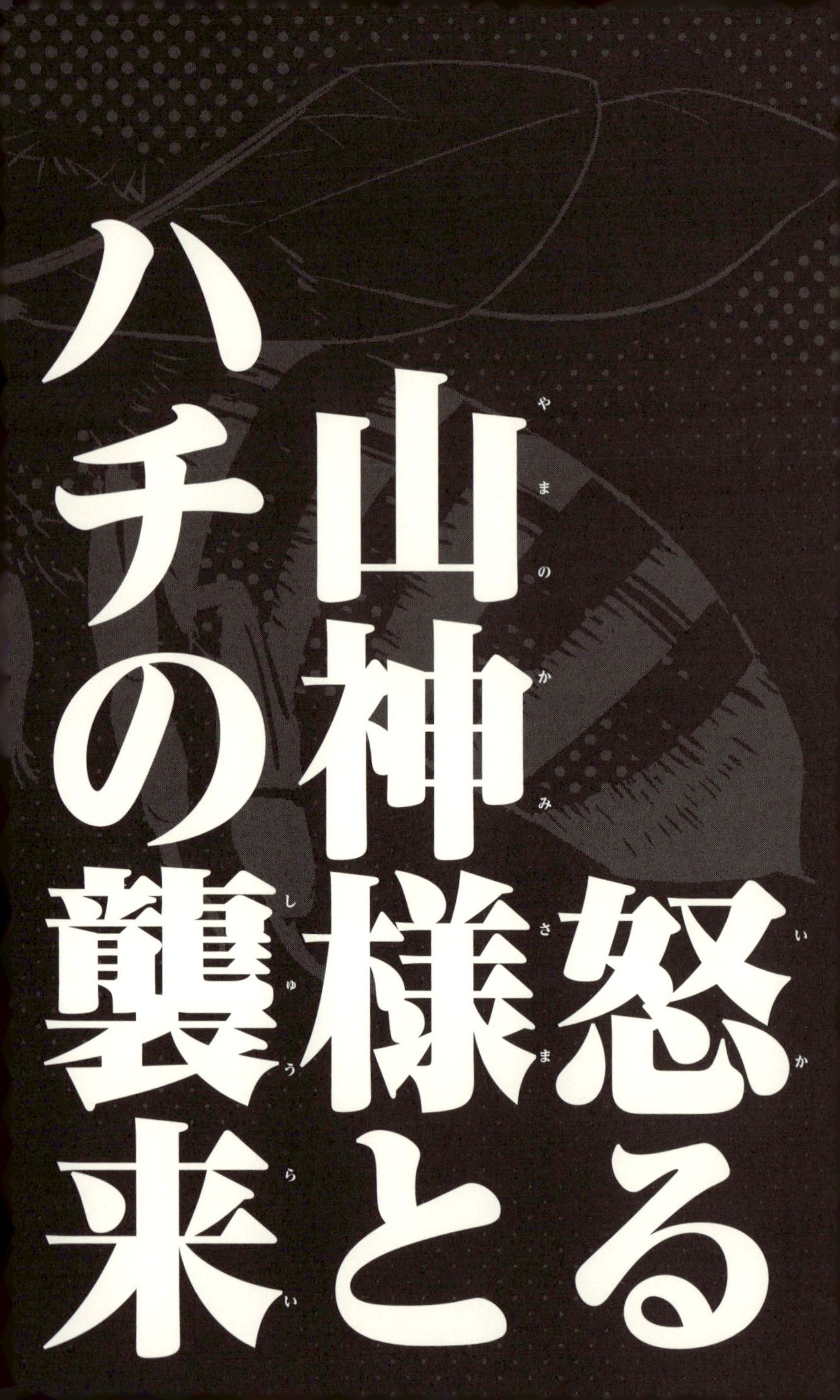

怒《いか》る山神様《やまのかみさま》とハチの襲来《しゅうらい》

超《ちょう》・自然現象《しぜんげんしょう》1

長《なが》野《の》県《けん》

放課後《ほうかご》。真実《しんじつ》たち3人《にん》は、花森町《はなもりちょう》の近《ちか》くにある新聞社《しんぶんしゃ》の支社《ししゃ》にやってきた。白髪《しらが》まじりの優《やさ》しい顔《かお》をした50歳《さい》ぐらいの男性《だんせい》が、真実《しんじつ》たちを出迎《でむか》えた。

「やあ、よく来《き》てくれたねえ。私《わたし》の名前《なまえ》は江古田孝太郎《えこたこうたろう》。真実《しんじつ》くん、会《あ》えてうれしいよ。この事件《じけん》は、おそらくキミにしか解《と》けない難事件《なんじけん》だからねえ」

江古田《えこた》に自分《じぶん》の名刺《めいし》を渡《わた》しながら、美希《みき》がたずねる。

「それで、江古田《えこた》さん、どんな事件《じけん》なんですか？」

「それがねえ、私《わたし》も信《しん》じられないんだが、ある男性《だんせい》が『山神様《やまのかみさま》の呪《のろ》い』にかかってしまったと言《い》っているんだ」

それを聞《き》き、美希《みき》と健太《けんた》は同時《どうじ》に驚《おどろ》いた。

「山神様《やまのかみさま》って、つまり山《やま》にいる神様《かみさま》ってことですよね？」

「その人《ひと》、神様《かみさま》に呪《のろ》われちゃったってこと？」

「メールを送《おく》ってきたのはその男性《だんせい》の父親《ちちおや》なんだけどね。山神様《やまのかみさま》の怒《いか》り

山神《やまのかみ》
山《やま》を守《まも》り、支配《しはい》する神《かみ》様《さま》のこと。山《やま》で仕事《しごと》をする人《ひと》たちに信仰《しんこう》される。多《おお》くの土地《とち》では女神《めがみ》として信仰《しんこう》されるが、男神《おがみ》、夫婦神《めおとがみ》とするところもある。

をかって、息子《むすこ》さんが呪《のろ》われたらしいんだ。それからというもの、息子《むすこ》さんは何《なに》もしていないのに、大量《たいりょう》の『ハチ』に襲《おそ》われるようになってしまったというんだよ」

健太《けんた》は、首《くび》をかしげた。

「山神様《やまのかみさま》が怒《おこ》ると、どうしてハチに襲《おそ》われることになるんだろう？」

「さあ、そのあたりはメールを送《おく》ってきた人《ひと》に聞《き》いてみるしかないねえ」

健太《けんた》は江古田《えこた》の言葉《ことば》に、「うーん」とうなる。真実《しんじつ》は、江古田《えこた》に話《はな》しかけた。

「それは、たしかに不思議《ふしぎ》な事件《じけん》ですね。その男性《だんせい》に会《あ》ってみたいです」

どうやら、真実《しんじつ》はその事件《じけん》に興味《きょうみ》を持《も》ったようだ。

「おお、やってくれるかい。私《わたし》は自然《しぜん》や生《い》き物《もの》が好《す》きでよく記事《きじ》を書《か》いているから、そういう系統《けいとう》の不思議《ふしぎ》な現象《げんしょう》のネタが集《あつ》まってくるんだけどね。今回《こんかい》の怪事件《かいじけん》は、科学《かがく》でナゾが解《と》けるんじゃないかって思《おも》ってるんだよ。私《わたし》も取材《しゅざい》についていくけど、真実《しんじつ》くんには期待《きたい》しているよ。そして、記事《きじ》も美希《みき》ちゃんに書《か》いてもらう。小学生《しょうがくせい》の活躍《かつやく》を小学生《しょうがくせい》が記事《きじ》にする。これは絶対《ぜったい》、大《おお》きな話題《わだい》になるねえ」

江古田《えこた》がそう言《い》うと、真実《しんじつ》は「あと一《ひと》つ、お願《ねが》いがあります」と言《い》った。

「友人《ゆうじん》の健太《けんた》くんも、助手《じょしゅ》として一緒《いっしょ》に取材《しゅざい》に連《つ》れていってほしいんです」

「おお、そうなんだねえ。うんうん、いいよ。もちろんOK《オーケイ》だよ」

「えっ、ぼくも参加《さんか》できるの？　真実《しんじつ》くんありがとう！　やった〜！」

健太《けんた》は、満面《まんめん》の笑《え》みを浮《う》かべると、大喜《おおよろこ》びして跳《と》びはねた。


「やっぱり取材旅行《しゅざいりょこう》って最高《さいこう》ね！」

休日《きゅうじつ》。真実《しんじつ》たちは江古田《えこた》に連《つ》れられ、呪《のろ》われた男性《だんせい》の住《す》む長野県《ながのけん》へやってきた。男性《だんせい》の父親《ちちおや》が駅《えき》まで車《くるま》で迎《むか》えにくることになっていたのだ。

「さあ、待《ま》っている間《あいだ》に、重要《じゅうよう》な取材《しゅざい》を先《さき》に一《ひと》つこなすわよ」

美希《みき》の発言《はつげん》に、健太《けんた》が驚《おどろ》く。

「え、山神様《やまのかみさま》の呪《のろ》い以外《いがい》にも取材《しゅざい》するものがあるの？」

「ふむふむ。コシがあって、のどごしも最高《さいこう》ね。つゆのだしも利《き》いてるし」

美希《みき》の言《い》う重要《じゅうよう》な取材《しゅざい》。それは、長野《ながの》名物《めいぶつ》・信州《しんしゅう》そばを食《た》べることだった。

美希《みき》はそばを食《た》べながら、ノートに感想《かんそう》をメモしていく。

「信州《しんしゅう》そばの情報《じょうほう》は、今回《こんかい》の記事《きじ》にはいらないと思《おも》うけどなあ」

健太《けんた》がそう言《い》うと、江古田《えこた》が笑《わら》った。

「がっはっは。健太《けんた》くん、私《わたし》も取材旅行《しゅざいりょこう》のたびに、その土地《とち》の名物《めいぶつ》を食《た》べるのが楽《たの》しみだよ。ネタも探《さが》せるし、取材《しゅざい》する場所《ばしょ》をより深《ふか》く知《し》ることもできる。美希《みき》ちゃんは本物《ほんもの》の記者《きしゃ》になれる才能《さいのう》があるねえ」

「江古田《えこた》さん、ほんと!? よおし、じゃあおかわりしちゃおうかな」

張《は》り切《き》る美希《みき》を見《み》て、健太《けんた》はあきれるのだった。

やがて、メールを送《おく》ってきた父親《ちちおや》が駅《えき》に到着《とうちゃく》し、真実《しんじつ》たちは呪《のろ》われた男性《だんせい》・中山洋介《なかやまようすけ》に会《あ》いに行《い》くことにした。

「私《わたし》は、ハチミツを採《と》る『養蜂《ようほう》』という仕事《しごと》をしているんだ。長男《ちょうなん》の洋《よう》介《すけ》は、私《わたし》や次男《じなん》の勇介《ゆうすけ》と一緒《いっしょ》に働《はたら》いてるんだよ」

「ハチに襲《おそ》われるようになってしまった養蜂家《ようほうか》か……」

真実《しんじつ》がつぶやく。一同《いちどう》は、山《やま》あいにある一軒《いっけん》の店《みせ》の前《まえ》に到着《とうちゃく》した。

信州《しんしゅう》そば
長野県《ながのけん》（旧国名信州《きゅうこくめいしんしゅう》）の代表的《だいひょうてき》な郷土料《きょうどりょう》理《り》。長野県《ながのけん》は米《こめ》や小麦《こむぎ》が栽培《さいばい》しづらい高冷地《こうれいち》のため、ソバが多《おお》く植《う》えられてきた。今日《こんにち》よく食《た》べられる長《なが》く細《ほそ》く切《き》られた「そば切《き》り」（一般的《いっぱんてき》な麺《めん》の形状《けいじょう》のもの）の発祥《はっしょう》は信州《しんしゅう》という説《せつ》もある。

「勇介《ゆうすけ》、洋介《ようすけ》を呼《よ》んできてくれ」

父親《ちちおや》は、店《みせ》の入《い》り口《ぐち》にいる眼鏡《めがね》の青年《せいねん》に声《こえ》をかけた。洋介《ようすけ》の弟《おとうと》・勇介《ゆうすけ》である。

「兄《にい》さんは、近《ちか》くの友達《ともだち》の家《いえ》に行《い》ったよ」

「なんだって？　ここで待《ま》ってろって言《い》ったのに」

「ここで待《ま》っていたら、またハチが襲《おそ》ってくるかもって言《い》って逃《に》げたんだよ。皆《みな》さん、兄《あに》の避難《ひなん》した家《いえ》に案内《あんない》するのでついてきてください」

洋介《ようすけ》が避難《ひなん》した家《いえ》は、ここから車《くるま》で5分《ふん》ほどの場所《ばしょ》にあるという。

真実《しんじつ》たちは勇介《ゆうすけ》の運転《うんてん》で、その家《いえ》へ向《む》かうことにした。

「私《わたし》、養蜂場《ようほうじょう》って初《はじ》めて見《み》るわ。だけどハチはいなかったよね？」

美希《みき》がそう言《い》うと、健太《けんた》が口《くち》を開《ひら》いた。

「そりゃあ近《ちか》くにはいないよ。養蜂《ようほう》はね、山《やま》の中《なか》にある野原《のはら》とかに巣箱《すばこ》を置《お》いて、そこでハチを飼《か》ってハチミツを採《と》るんだ。ハチは花《はな》からミツを採《と》るから、周《まわ》りに花《はな》がいっぱい咲《さ》いていないと、ミツが採《と》れないんだ

養蜂《ようほう》で使《つか》う巣箱《すばこ》
巣箱《すばこ》の中《なか》にはこのような巣枠《すわく》が入《はい》っていて、ハチたちが生活《せいかつ》している。ハチミツもこの枠《わく》にたまっていく。

よ」

「そのとおり。さっきいたのは、ぼくたち家族《かぞく》が経営《けいえい》しているハチミツの販売店《はんばいてん》なんだ。それにしても、キミは養蜂《ようほう》のことにくわしいんだね」

「ぼく、虫《むし》が大好《だいす》きなんです。だから今回《こんかい》の事件《じけん》がよくわからなくて」

健太《けんた》はわからない理由《りゆう》を、勇介《ゆうすけ》に話《はな》すことにした。

「どうして、ハチが襲《おそ》ってきたことが、山神様《やまのかみさま》の呪《のろ》いってことになるんですか？」

健太《けんた》はそれが、ずっと疑問《ぎもん》だったのだ。勇介《ゆうすけ》は答《こた》えた。

「ぼくたちの養蜂場《ようほうじょう》がある山《やま》に、昔《むかし》からハチの神様《かみさま》がいるって言《い》われているからなんだ。ぼくたちはハチに感謝《かんしゃ》をして、ハチとともに生《い》きているからね。だけど兄《にい》さんはハチを嫌《きら》っていて、この世《よ》からいなくなってもいいなんて言《い》うんだよ」

「養蜂場《ようほうじょう》で働《はたら》いてるのに？」

健太《けんた》が驚《おどろ》くと、勇介《ゆうすけ》は悲《かな》しそうな顔《かお》をして小《ちい》さくうなずいた。

「だから山神様《やまのかみさま》が怒《おこ》って、ハチたちが洋介《ようすけ》さんを襲《おそ》う呪《のろ》いをかけたってわけね」

美希《みき》はノートにメモをする。一方《いっぽう》、真実《しんじつ》は口元《くちもと》に手《て》を当《あ》てた。

「ハチというのは、自分《じぶん》の身《み》に危険《きけん》を感《かん》じたときに人《ひと》を襲《おそ》うことはある。だけど、何《なに》もしていないのに襲《おそ》うなんてことはめったにないはずだ」

「そうだよね、真実《しんじつ》くん。洋介《ようすけ》さんは花《はな》の匂《にお》いでもしたのかな？」と、健太《けんた》が言《い》う。

「匂《にお》い？」

「ハチはミツを集《あつ》めるとき、花《はな》を目《め》で探《さが》すだけじゃなくて、匂《にお》いでも探《さが》しているんだよ。だけど、花《はな》の匂《にお》いがしたからって襲《おそ》ったりはしないよね？　それとも、何《なに》かハチが危険《きけん》だと思《おも》うようなことをしたとか……」

真実《しんじつ》は、健太《けんた》の話《はなし》を聞《き》き、何《なに》かを考《かんが》えていた。

間《ま》もなくみんなの乗《の》った車《くるま》が、洋介《ようすけ》が避難《ひなん》している友達《ともだち》の家《いえ》に到着《とうちゃく》した。

勇介《ゆうすけ》がインターホンを押《お》すと、家《いえ》の中《なか》から、首《くび》にタオルをかけた、がっちりとした体形《たいけい》の大柄《おおがら》な青年《せいねん》が出《で》てきた。呪《のろ》われた男性《だんせい》・洋介《ようすけ》だ。

「おいおい、記者《きしゃ》だけじゃなくて、こんなチビたちまで呼《よ》んだのか？」

「父《とう》さんが兄《にい》さんのことを心配《しんぱい》して、記者《きしゃ》さんのほかに、小学生《しょうがくせい》の有名《ゆうめい》な科学探偵《かがくたんてい》さんも呼《よ》んでくれたんだよ……。わっ」

洋介《ようすけ》の周《まわ》りをオドオドしながら歩《ある》いていた勇介《ゆうすけ》は突然前《とつぜんまえ》のめりになって、洋介《ようすけ》の体《からだ》をつかんだ。

「おい、勇介《ゆうすけ》！　いきなりどうしたんだ？」

「いやあ、ごめん、石《いし》につまずいちゃって」

勇介《ゆうすけ》は、あわてて洋介《ようすけ》から離《はな》れた。

「科学探偵《かがくたんてい》だかなんだか知《し》らないけど、この家《いえ》に避難《ひなん》してればハチになんて襲《おそ》われないよ」

洋介《ようすけ》がハチに襲《おそ》われたのは、家族《かぞく》で経営《けいえい》している店《みせ》や巣箱《すばこ》の近《ちか》くだった。

「洋介《ようすけ》さんはどうして、ハチが嫌《きら》いなんですか？」

健太《けんた》は、身《み》を乗《の》り出《だ》してたずねる。すると、洋介《ようすけ》はなぜかあせった顔《かお》をした。

「それは、ええっと、あれだ。ハチミツを赤《あか》ちゃんが食《た》べると危険《きけん》だろ」

「危険《きけん》？」と首《くび》をかしげる健太《けんた》に、真実《しんじつ》が説明《せつめい》をする。

「1歳未満《さいみまん》の乳児《にゅうじ》は、ハチミツを食《た》べたら体調《たいちょう》が悪《わる》くなる可能性《かのうせい》があるんだ」

「真実《しんじつ》くん、どうして1歳未満《さいみまん》の子《こ》はハチミツを食《た》べちゃダメなの？」

「ハチミツの中《なか》にはボツリヌス菌《きん》という菌《きん》がいることがあるんだ。普通《ふつう》なら腸内《ちょうない》にいる細菌《さいきん》がボツリヌス菌《きん》を退治《たいじ》してくれるけど、1歳未満《さいみまん》の乳児《にゅうじ》はまだ腸内《ちょうない》の環境《かんきょう》が整《ととの》っていなくて、菌《きん》がつくりだす毒《どく》の影響《えいきょう》を受《う》けてしまうんだよ」

「そうなんだ……。でも、赤《あか》ちゃんにあげさえしなければいいんだよね、洋介《ようすけ》さん？」

「そ、それはそうだけど。とにかく、ハチなんてこの世《よ》からいなくなってしまえばいいいんだに！」

洋介《ようすけ》は健太《けんた》にそう言《い》うと、家《いえ》の中《なか》に入《はい》ろうとした。そのとき、ブーンと音《おと》がした。健太《けんた》たちがその音《おと》のほうを見《み》ると、そこには、大量《たいりょう》のハチが飛《と》んでいた。

「どうしてここに？　うわああ！」

洋介《ようすけ》は悲鳴《ひめい》をあげて逃《に》げだす。ハチたちは洋介《ようすけ》を狙《ねら》うかのように追《お》いかけ続《つづ》けた。

ボツリヌス菌《きん》
土壌中《どじょうちゅう》などに広《ひろ》く分布《ぶんぷ》する細菌《さいきん》。酸素《さんそ》を嫌《きら》い、酸素《さんそ》が少《すく》ない環境《かんきょう》で増殖《ぞうしょく》し、毒素《どくそ》を出《だ》す。熱《ねつ》にも強《つよ》い。1歳未満《さいみまん》の乳児《にゅうじ》は腸内《ちょうない》でボツリヌス菌《きん》が退治《たいじ》されず増殖《ぞうしょく》することがあるため、この年齢《ねんれい》までの赤《あか》ちゃんにはボツリヌス菌《きん》がいる可能性《かのうせい》の高《たか》いハチミツやハチミツ入《い》りの食品《しょくひん》を食《た》べさせるのを避《さ》けるよう、国《くに》から通知《つうち》が出《で》ている。

洋介《ようすけ》はあわてて玄関《げんかん》に飛《と》び込《こ》み、ドアを閉《し》める。ハチたちはそれ以上《いじょう》追《お》いかけることはできず、しばらくすると、近《ちか》くの森《もり》の中《なか》へと消《き》えていった。

「なんてことだ。ほんとに洋介《ようすけ》くんだけが襲《おそ》われるなんて」

江古田《えこた》はその光景《こうけい》を見《み》て、あ然《ぜん》としていた。美希《みき》も驚《おどろ》きを隠《かく》せないでいる。

「山神様《やまのかみさま》の呪《のろ》いはほんとにあるんだよ！」

と、健太《けんた》は興奮《こうふん》する。しかし、真実《しんじつ》は口元《くちもと》に手《て》を当《あ》て、何《なに》かを考《かんが》えていた。

「どうして洋介《ようすけ》さんだけが？　しかも、ぼくたちが来《き》てすぐに。……すぐに？」

真実《しんじつ》は、ハッとした。

「真実《しんじつ》くん、何《なに》かわかったの？」

「ああ、健太《けんた》くん、キミはさっき、ハチがどう花《はな》を探《さが》すか話《はな》していたよね？」

「うん。目《め》で見《み》たり、匂《にお》いで探《さが》したり」

「そう、その匂《にお》いが重要《じゅうよう》だったんだ。ハチに洋介《ようすけ》さんを襲《おそ》わせたのは、あなたですね」

真実《しんじつ》は、ある人物《じんぶつ》のほうに顔《かお》を向《む》けた。それは、勇介《ゆうすけ》だ。

「勇介《ゆうすけ》くんが犯人《はんにん》？　そりゃどういうことだ？」

江古田《えこた》がたずねる。

「勇介《ゆうすけ》さんは、ここにきた直後《ちょくご》、ある行動《こうどう》をとりました。そのとき、ハチが洋介《ようすけ》さんを襲《おそ》うためのトリックを仕掛《しか》けたんです」

「ここにきた直後《ちょくご》？　あっ、わかったよ。たしか勇介《ゆうすけ》さんは、洋介《ようすけ》さんの周《まわ》りをオドオドしながら歩《ある》いていたよね？」

「健太《けんた》くん、そのとおり。そしてそのとき仕掛《しか》けたものが呪《のろ》いの正体《しょうたい》だったんだ。――科学《かがく》で解《と》けないナゾはない。ヒントは、勇介《ゆうすけ》さんがつまずくフリをして、洋介《ようすけ》さんの体《からだ》をつかんだときにした、ある行為《こうい》だ」

解《かい》決《けつ》編《へん》

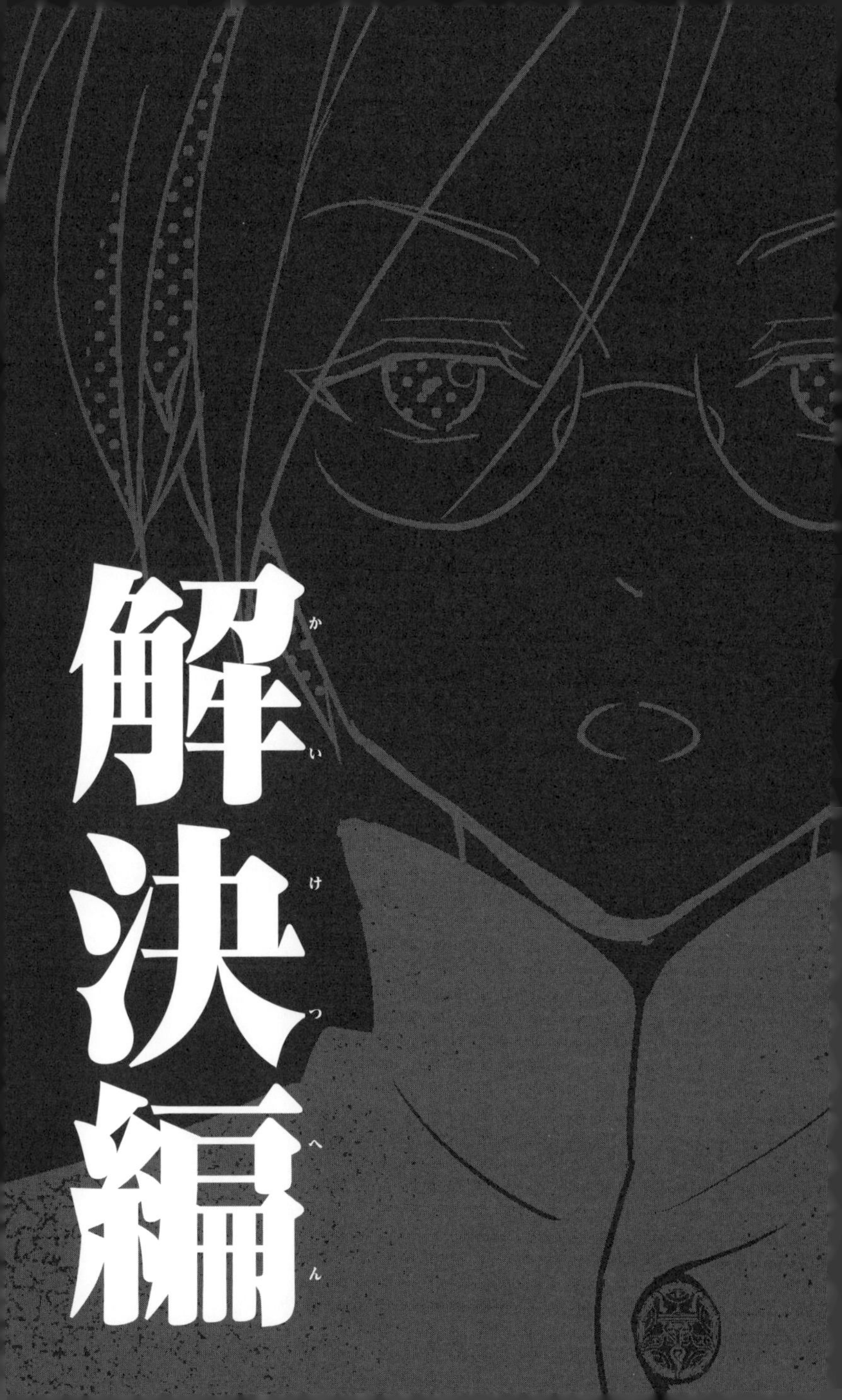

「つまずくフリ？　石《いし》につまずいたというのはウソだったのかい？」

「ええ、江古田《えこた》さん。勇介《ゆうすけ》さんは洋介《ようすけ》さんに近《ちか》づき、あるものをかけることが目的《もくてき》だったんです。洋介《ようすけ》さんは山神様《やまのかみさま》の呪《のろ》いにかかっていたんじゃない。ハチのある本能《ほんのう》のせいで、何度《なんど》も襲《おそ》われていたんです」

真実《しんじつ》は家《いえ》の玄関《げんかん》へ向《む》かい、ドアの向《む》こうにいる洋介《ようすけ》に声《こえ》をかけた。

「出《で》てきて大丈夫《だいじょうぶ》ですよ。もう襲《おそ》われることはありません」

洋介《ようすけ》は戸惑《とまど》いながらも、ドアを開《あ》け、外《そと》に出《で》てきた。真実《しんじつ》の言《い》うとおり、ハチは襲《おそ》ってこなかった。

「どうして、もう襲《おそ》ってこないってわかったんだ？」

「効果《こうか》が消《き》えたからですよ。さっきまでは洋介《ようすけ》さんの体《からだ》に、ハチの『警《けい》報《ほう》フェロモン』[i] がついていたんです」

「警報《けいほう》フェロモン!?」

「フェロモンというのは、動物《どうぶつ》や植物《しょくぶつ》などが分泌《ぶんぴつ》、つまり外《そと》に出《だ》す化学《かがく》物質《ぶっしつ》のことで、仲間《なかま》に様々《さまざま》なことを伝《つた》えることができます。ハチは危険《きけん》

あるランは、ミツバチの警報《けいほう》フェロモンにそっくりの化学物質《かがくぶっしつ》を出《だ》す。ミツバチの天敵《てんてき》であるスズメバチを引《ひ》き寄《よ》せ、スズメバチに受粉《じゅふん》を手伝《てつだ》わせるためだという。

1…ハチの警報《けいほう》フェロモン

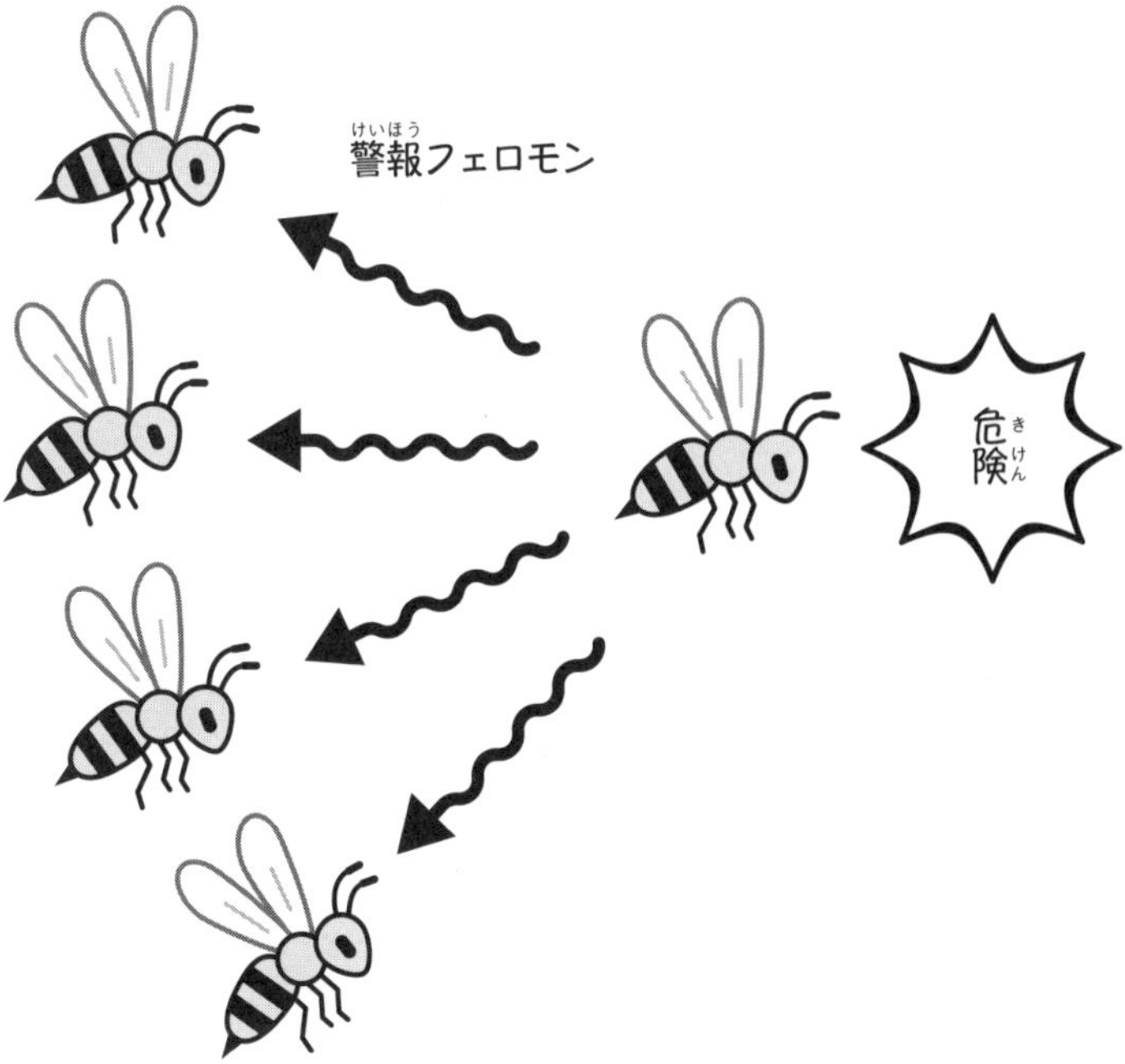

警報《けいほう》フェロモンを受《う》けたハチが
攻撃的《こうげきてき》になる

を感《かん》じると、警報《けいほう》フェロモンを出《だ》す。それに反応《はんのう》したほかのハチたちが、一斉《いっせい》にそのフェロモンのある場所《ばしょ》に襲《おそ》いかかるんです。だから、ハチを危険《きけん》な目《め》にあわせると一斉《いっせい》に襲《おそ》われてしまうんです」

「なるほど～。だから洋介《ようすけ》さんだけハチに襲《おそ》われたってことね」

「ぼくたちがここに来《き》たとき、勇介《ゆうすけ》さんはつまずくフリをして、洋介《ようすけ》さんの背中《せなか》に、おそらく小瓶《こびん》に入《はい》っていた警報《けいほう》フェロモンをふりかけた。その結果《けっか》、ハチたちが襲《おそ》ってきたんだ」

健太《けんた》たちは、勇介《ゆうすけ》のほうを見《み》る。勇介《ゆうすけ》は戸惑《とまど》いながらも、小《ちい》さくうなずいた。

「まさかバレるなんて。……そうだよ。ぼくがやったんだ」

勇介《ゆうすけ》は、ポケットの中《なか》から小《ちい》さな瓶《びん》を取《と》り出《だ》した。

「この中《なか》に、ハチから採《と》った警報《けいほう》フェロモンが入《はい》ってる。それをつまずいたフリをして、兄《にい》さんにふりかけたんだ」

「勇介《ゆうすけ》、おまえがオレにそのフェロモンを何回《なんかい》もかけてたのか！」

洋介《ようすけ》は何度《なんど》も襲《おそ》われたことを思《おも》い出《だ》して、勇介《ゆうすけ》に詰《つ》め寄《よ》る。だが、勇介《ゆうすけ》はそんな洋介《ようすけ》をにらんだ。

「全部《ぜんぶ》、兄《にい》さんが悪《わる》いんだ！　兄《にい》さんはハチなんてこの世《よ》からいなくなってしまえばいいなんて言《い》っただろ。ぼくは養蜂《ようほう》の仕事《しごと》に誇《ほこ》りを持《も》っている。ぼくはハチが大好《だいす》きなんだ！　だから山神様《やまのかみさま》のせいにして、兄《にい》さんに罰《ばつ》を与《あた》えたんだ！」

勇介《ゆうすけ》は、洋介《ようすけ》を見《み》ながら、くやしそうに涙《なみだ》を流《なが》した。

「真実《しんじつ》くん、勇介《ゆうすけ》さんは悪《わる》い人《ひと》じゃないよね？」

ふと、健太《けんた》が言《い》った。ハチなんていなくなってしまえばいいと言《い》われた勇介《ゆうすけ》の気持《きも》ちが痛《いた》いほど分《わ》かったのだ。すると、洋介《ようすけ》が勇介《ゆうすけ》のほうを見《み》た。

「……オレは、べつにほんとにハチが嫌《きら》いなわけじゃない。ただ、養蜂《ようほう》の仕事《しごと》って毎日毎日《まいにちまいにち》大変《たいへん》だろ。それでイライラして、ハチが嫌《きら》いだなんて、つい八《や》つあたりしてしまったんだ。すまん。勇介《ゆうすけ》の姿《すがた》を見《み》て、そんなことを言《い》っていた自分《じぶん》が情《なさ》けなくなったよ」

洋介《ようすけ》は申《もう》し訳《わけ》なさそうな顔《かお》をすると、首《くび》にかけていたタオルを勇介《ゆうすけ》に差《さ》し出《だ》した。

「父《とう》さんが養蜂《ようほう》の仕事《しごと》を頑張《がんば》ってくれたから、オレたち兄弟《きょうだい》は大《おお》きくなれたんだよな。オレたちは、ハチのおかげで今《いま》ここにいるんだもんな」

洋介《ようすけ》は、「勇介《ゆうすけ》、すまなかった」と言《い》うと、深々《ふかぶか》と頭《あたま》を下《さ》げた。

「兄《にい》さん……」

その言葉《ことば》に、勇介《ゆうすけ》は驚《おどろ》きながらも笑顔《えがお》になる。洋介《ようすけ》は、勇介《ゆうすけ》のやったことを許《ゆる》しただけでなく、反省《はんせい》して自分《じぶん》の考《かんが》えも改《あらた》めてくれたのだ。

「これで、みごと解決《かいけつ》だね！」

健太《けんた》と美希《みき》は大喜《おおよろこ》びする。

「だけど真実《しんじつ》くん、洋介《ようすけ》さんにかかってる警報《けいほう》フェロモンはほんとに消《き》えたの？」

健太《けんた》は、またハチが襲《おそ》ってくるのではと心配《しんぱい》した。

「それなら大丈夫《だいじょうぶ》だよ。このフェロモンは、数分《すうふん》ぐらいしか効果《こうか》がないんだ。勇介《ゆうすけ》さんがフェロモンを小瓶《こびん》に入《い》れていたのも、このフェロモンが空気《くうき》に触《ふ》れるとすぐ効果《こうか》が消《き》えてしまうからなんだよ」

その言葉《ことば》を聞《き》き、江古田《えこた》がにっこりと笑《わら》った。

「いやあ、真実《しんじつ》くん、キミに頼《たの》んでよかったよ。やっぱり私《わたし》が思《おも》ったとおりの名探偵《めいたんてい》だねえ。そうだ、これからも取材《しゅざい》をやってくれないかね？　私《わたし》のところには、全国《ぜんこく》から不思議《ふしぎ》な

現象《げんしょう》を取材《しゅざい》してほしいという手紙《てがみ》やメールがたくさん届《とど》いているんだ。今回《こんかい》の記事《きじ》が掲載《けいさい》されたら、さらにその依頼《いらい》は増《ふ》えるだろうねえ。『解決《かいけつ》！　超常現象《ちょうじょうげんしょう》ハンター』。どうだい？　この連載《れんさい》、いいと思《おも》わないかい？」

「すごい！　ぼく、なんだかワクワクしてきたよ」

「真実《しんじつ》くん、やりましょうよ！　もちろん記事《きじ》は私《わたし》が書《か》く！」

「超常現象《ちょうじょうげんしょう》ハンターか。たしかに、それは面白《おもしろ》そうだね」

「よおし、じゃあこれからもお願《ねが》いするよ！　真実《しんじつ》くんならきっと、どんなナゾでも解《と》いてくれるだろうと思《おも》うからねえ」

真実《しんじつ》は引《ひ》き続《つづ》き、不思議《ふしぎ》な超常現象《ちょうじょうげんしょう》の取材《しゅざい》を続《つづ》けることになったのだった。

I

SCIENCE TRICK DATA FILE

科学《かがく》トリック データファイル

ミツバチのすごい能力《のうりょく》

ミツバチはほかのハチやアリ同《どう》様《よう》、女王《じょおう》バチと働《はたら》きバチに分《わ》かれて集団生活《しゅうだんせいかつ》を営《いとな》む「社会性昆虫《しゃかいせいこんちゅう》」です。なかでもニホンミツバチは天敵《てんてき》のオオスズメバチを働《はたら》きバチが取《と》り囲《かこ》み、蒸《む》し殺《ころ》します。自分《じぶん》の寿命《じゅみょう》を削《けず》ってでも、集団《しゅうだん》を守《まも》るのです。ミツバチは世界中《せかいじゅう》で急激《きゅうげき》な減少《げんしょう》が報告《ほうこく》されています。

ニホンミツバチの必殺技《ひっさつわざ》「熱殺蜂球《ねっさつほうきゅう》」

①危険《きけん》を察知《さっち》

ニホンミツバチの巣《す》を襲《おそ》うため、偵《てい》察《さつ》に来《き》たオオスズメバチのフェロモンをニホンミツバチが察知《さっち》する

②巣《す》の中《なか》におびき寄《よ》せる

オオスズメバチの大《おお》きさはニホンミツバチの3倍近《ばいちか》いため、ニホンミツバチは巣《す》で集団《しゅうだん》で立《た》ち向《む》かう

③取《と》り囲《かこ》んで熱殺《ねっさつ》

数百匹《すうひゃっぴき》で取《と》り囲《かこ》み、胸《むね》の筋肉《きんにく》を震《ふる》わせ温度《おんど》を上《あ》げ蒸《む》し殺《ころ》す。真《ま》ん中《なか》に近《ちか》いミツバチの寿命《じゅみょう》も短《みじか》くなる

女王《じょおう》バチの秘密《ひみつ》

女王《じょおう》バチも働《はたら》きバチも幼虫《ようちゅう》のときは同《おな》じ。ローヤルゼリーという特別《とくべつ》なエサで育《そだ》った幼虫《ようちゅう》が女王《じょおう》バチになる

毎朝新聞

ハチはフェロモン…て様々《さまざま》な情報《じょうほう》を伝《つた》えるの…それをいれに…

…化

解決！ 超常現象ハンター

ハチに襲《おそ》われる
中山洋介《なかやまようすけ》さんの決定的瞬間《けっていてきしゅんかん》

第一回《だいいっかい》 「山神様《やまのかみさま》の怒《いか》り」 背景《はいけい》に養蜂業《ようほうぎょう》の苦境《くきょう》

今回《こんかい》の事件《じけん》の真相《しんそう》——、それは家業《かぎょう》である養蜂業《ようほうぎょう》への不満《ふまん》を漏《も》らしていた中山洋介《なかやまようすけ》さん（29）に対《たい》し、弟《おとうと》の勇介《ゆうすけ》さん（25）が「ハチへのリスペクトが足《た》りない」と怒《いか》りを抱《いだ》いたことが原《げん》因《いん》だった。ハチを攻撃的《こうげきてき》にする「警報《けいほう》フェロモン」を集《あつ》めて、洋介《ようすけ》さんにふりかけていたのだ。

国産《こくさん》のハチミツは安価《あんか》な外国産《がいこくさん》におされて苦戦《くせん》しているうえ、ミツバチがミツを集《あつ》める時期《じき》に長《なが》雨《あめ》が降《ふ》るなど異常気象《いじょうきしょう》の影響《えいきょう》で十分《じゅうぶん》なミツを確保《かくほ》しづらくなった。

洋介《ようすけ》さんの不満《ふまん》は、そういった国産養蜂業《こくさんようほうぎょう》の立《た》たされている不満《ふまん》を反映《はんえい》してのことともいえる。

その思《おも》いは、勇介《ゆうすけ》さんも共有《きょうゆう》している。「やれることを、まずはやっていかないといけないです」。仲直《なかなお》りした2人《ふたり》は記者《きしゃ》にこう話《はな》した。

ひとくちグルメMEMO《メモ》

長野県《ながのけん》のグルメといえば「おやき」や「野沢《のざわ》菜《な》」などがあるが、「信《しん》州《しゅう》そば」も外《はず》せない。一《ひと》口《くち》すれば、そばの香《かお》りが口《くち》から鼻《はな》に一気《いっき》にひろがる。そばは香《かお》りを食《た》べているのだ。（M・A）

長野《ながの》の山…養蜂業《ようほうぎょう》は…日本全《にほんぜん》…ひろが…どう考《かんが》…なると…こえる…さき…

ハチってかしこいんだよ。
ミツのありかを、ダンスでほかのハチに教《おし》えたりすることもできるんだって。

さすが、昆虫《こんちゅう》好《ず》きなだけあってくわしいね。
洋介《ようすけ》さんがハチが嫌《きら》いって言《い》ったときにも怒《おこ》ってたもんね。

ミツバチが苦労《くろう》して集《あつ》めたミツを、人間《にんげん》が勝手《かって》にいただいているんだから、
もっとハチたちにコンペイトウをする必要《ひつよう》があると思《おも》うんだよ！

コンペイトウ……？
もしかして、「リスペクト」のこと？　英語《えいご》のほうはからっきしね。

それにしても、お礼《れい》にいただいたハチミツは本当《ほんとう》においしかったね。
紅茶《こうちゃ》によくあうんだよ。

ぼくは紅茶《こうちゃ》は飲《の》まないから、直接《ちょくせつ》スプーンですくって食《た》べているよ。

まるでくまのプーさんね……。

1匹《ぴき》のミツバチが生涯《しょうがい》集《あつ》めるミツの量《りょう》は、
小《こ》さじ1杯分《ぱいぶん》ほどらしいよ。

妖怪《ようかい》クッツラの呪《のろ》い

超《ちょう》・自然現象《しぜんげんしょう》2

北海道《ほっかいどう》

「いや〜、ありがとね。キミたちの記事《きじ》、大好評《だいこうひょう》だ。私《わたし》の思《おも》ったとおり、身近《みぢか》で起《お》きている不思議《ふしぎ》な現象《げんしょう》を解決《かいけつ》してほしいっていう手紙《てがみ》やメールが日本全国《にほんぜんこく》から続々《ぞくぞく》届《とど》いているよ」

新聞記者《しんぶんきしゃ》の江古田《えこた》がせんべいをボリボリかじりながら、にこにこ顔《がお》で言《い》った。

「あ、これ、長野《ながの》で買《か》った野沢菜《のざわな》せんべい、よかったら食《た》べて」

江古田《えこた》に勧《すす》められ、真実《しんじつ》、健太《けんた》、美希《みき》も目《め》の前《まえ》にあるせんべいに手《て》を伸《の》ばす。「解決《かいけつ》！　超常現象《ちょうじょうげんしょう》ハンター」の本格的《ほんかくてき》な連載《れんさい》が決《き》まり、３人《にん》は打《う》ち合《あ》わせをするために再《ふたた》び新聞社《しんぶんしゃ》の支社《ししゃ》を訪《おとず》れたのだ。

「キミたちに、次《つぎ》に行《い》ってもらうのは、北海道《ほっかいどう》だ」

「北海道《ほっかいどう》!?」

健太《けんた》は、目《め》を輝《かがや》かせる。

北海道《ほっかいどう》はテレビで見《み》てあこがれていたが、まだ一度《いちど》も行《い》ったことがない場所《ばしょ》だった。

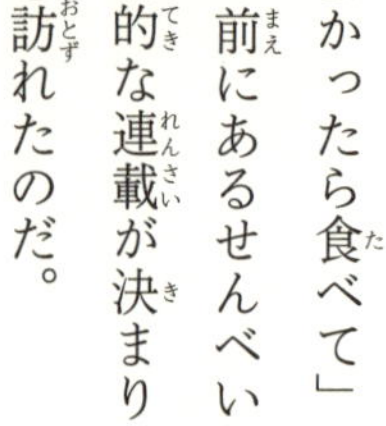

野沢菜《のざわな》
長野県《ながのけん》の野沢温泉村《のざわおんせんむら》でつくられてきたことからその名《な》がついた。野《の》沢菜《ざわな》の漬物《つけもの》も長野県名《ながのけんめい》物《ぶつ》だ。

「実《じつ》は北海道《ほっかいどう》の網走市《あばしりし》に住《す》む、小学《しょうがく》3年生《ねんせい》の女《おんな》の子《こ》から、こんなハガキが届《とど》いてね」

江古田《えこた》は、3人《にん》に1枚《まい》のハガキを見《み》せる。


こんにちは。私《わたし》の名前《なまえ》は山本里美《やまもとさとみ》。小学《しょうがく》3年生《ねんせい》です。今《いま》、私《わたし》の住《す》む集落《しゅうらく》で、ふしぎなことが起《お》きています。庭《にわ》や玄関《げんかん》に置《お》かれた靴《くつ》がいつの間《ま》にかなくなってしまうのです。これは妖怪《ようかい》クツツラのしわざで、靴《くつ》をとられた人《ひと》はたたりにあうと、みんなうわさしています。私《わたし》はとてもこわいです

健太《けんた》は、「妖怪《ようかい》クツツラ!?」とすっとんきょうな声《こえ》を張《は》り上《あ》げた。

「恐井恐子先生《こわいきょうこせんせい》のマンガ『妖怪探偵《ようかいたんてい》ヨーカイくん』に登場《とうじょう》する恐《おそ》ろしい妖怪《ようかい》だ！　クツツラに靴《くつ》をとられた人《ひと》は、魂《たましい》を奪《うば》われて死《し》んでしまうんだ！」

「健太《けんた》くん、それはマンガの中《なか》のお話《はなし》でしょ？」

タブレットでクツツラのことを検索《けんさく》した美希《みき》は、笑《わら》いながら言《い》った。

「クツツラっていうのは、平安時代《へいあんじだい》の百鬼夜行絵巻《ひゃっきやこうえまき》に登場《とうじょう》する頭《あたま》に靴《くつ》を載《の》せたネズミのよう

な妖怪《ようかい》だって、ネットにはそれしか書《か》いてないわよ？　どうせまた、誰《だれ》かが妖怪《ようかい》のしわざに見《み》せかけたいたずらをしてるんでしょう」

「でも、小《しょう》３の女《おんな》の子《こ》がこんなに怖《こわ》がっているんだから、絶対何《ぜったいなに》かあるよ」

健太《けんた》は反論《はんろん》する。

すると、江古田《えこた》が笑《わら》いながら言《い》った。

「誰《だれ》かのいたずらかもしれないし、何《なに》か違《ちが》う理由《りゆう》があるのかもしれない。そのへんのところ、キミたちで調《しら》べてきてくれないか」

「了解《りょうかい》です！」と、美希《みき》は張《は》り切《き》って答《こた》える。

「くれぐれもけがのないように。そうそう、今回私《こんかいわたし》は別《べつ》の仕事《しごと》があって一緒《いっしょ》に行《い》けないから、誰《だれ》か大人《おとな》と一緒《いっしょ》に行《い》ってちょうだい」

江古田《えこた》はそう言《い》って、お茶《ちゃ》をひと口《くち》すすった。


そして、北海道《ほっかいどう》に出発《しゅっぱつ》する日《ひ》。

待《ま》ち合《あ》わせ場所《ばしょ》のバスターミナルには、真実《しんじつ》と美希《みき》のほかに、今回《こんかい》、引率者《いんそつしゃ》として同行《どうこう》することになった理科《りか》クラブ顧問《こもん》の大前先生《おおまえせんせい》の姿《すがた》もあった。一行《いっこう》はそこからバスで空港《くうこう》に向《む》かい、飛行機《ひこうき》に乗《の》り換《か》えて一路《いちろ》、北海道《ほっかいどう》へ向《む》かう予定《よてい》となっている。

そこに、健太《けんた》が遅《おく》れてやってきた。

健太《けんた》は、なんとその体《からだ》に、ありったけのお守《まも》りやお札《ふだ》を身《み》につけていた。

「ま～た、そんなかっこうしているの？」

美希《みき》はあきれたが、健太《けんた》の表情《ひょうじょう》は真剣《しんけん》そのもの――。

「相手《あいて》は、あの恐《おそ》ろしいクツツラだよ？　これくらいの備《そな》えは当然《とうぜん》さ」

飛行機《ひこうき》に乗《の》り、北海道《ほっかいどう》の網走市《あばしりし》近《ちか》くの空港《くうこう》に降《お》り立《た》った真実《しんじつ》、健太《けんた》、美希《みき》と大前先生《おおまえせんせい》。

大前先生《おおまえせんせい》は、学生時代《がくせいじだい》から何度《なんど》も北海道《ほっかいどう》を旅行《りょこう》したことがあるという。

「取材先《しゅざいさき》では、観光《かんこう》やグルメも楽《たの》しんでいいって、江古田《えこた》さんが言《い》ってくださったんです。先生《せんせい》、どこかおすすめスポットはありますか？」

美希《みき》の質問《しつもん》に、大前先生《おおまえせんせい》はのんびりした口調《くちょう》で答《こた》える。

「そうだな～。旅行《りょこう》といってもぼくの場合《ばあい》は、北海道《ほっかいどう》固有《こゆう》の動植物《どうしょくぶつ》やキノコを観察《かんさつ》する

御守
御守

フィールドワークが中心《ちゅうしん》だったからねえ……」

北海道《ほっかいどう》には、30年《ねん》ほど前《まえ》に発見《はっけん》された「センボンキツネノサカズキ」という超《ちょう》レアなキノコがあることを大前先生《おおまえせんせい》は長々《ながなが》と語《かた》り、それから、付《つ》け加《くわ》えるように、こう言《い》った。

「そうそう。このあいだ旅行《りょこう》で行《い》ったときには、流氷砕氷船《りゅうひょうさいひょうせん》で、流氷《りゅうひょう》を見《み》にいったんだ。とても印象深《いんしょうぶか》かったよ」

「流氷《りゅうひょう》!? ステキですね～! あー、でもこの時期《じき》じゃ、流氷《りゅうひょう》は見《み》られないから……」

美希《みき》の提案《ていあん》で、一行《いっこう》は流氷《りゅうひょう》のことを学《まな》べる博物館《はくぶつかん》に足《あし》を向《む》けた。

そこは、流氷砕氷船《りゅうひょうさいひょうせん》の船長《せんちょう》がシーズンオフの間《あいだ》だけ開《あ》けている私営《しえい》の博物館《はくぶつかん》だった。

「いやー、最近《さいきん》は流氷《りゅうひょう》が減《へ》っちゃってね～。最盛期《さいせいき》の2月《がつ》でも、ほとんど見《み》られないことが多《おお》いんだよ」

船長《せんちょう》は、そう嘆《なげ》く。

センボンキツネノサカズキ
ベニチャワンダケ科《か》のキノコで、1988年《ねん》に北海道旭川市《ほっかいどうあさひかわし》で発見《はっけん》された。小《ちい》さなおわん形《がた》をし、ミズナラなどの倒木《とうぼく》に密生《みっせい》する。

流氷《りゅうひょう》
海《うみ》に浮《う》かび、風《かぜ》や潮流《ちょうりゅう》で動《うご》く海氷《かいひょう》のこと。北海道東岸《ほっかいどうとうがん》では2～3月《がつ》に見《み》ることができる。

流氷《りゅうひょう》が減《へ》ってしまったのは、地球温暖化《ちきゅうおんだんか》の影響《えいきょう》らしい。

「流氷《りゅうひょう》ができることで、世界《せかい》の海全体《うみぜんたい》の動《うご》きが活発《かっぱつ》になり、栄養《えいよう》が世界《せかい》中《じゅう》の海《うみ》にいきわたっている。オホーツク海《かい》は、いわば心臓《しんぞう》の役割《やくわり》を果《は》たしているんだ。このままでは海《うみ》の生《い》き物《もの》たちへの影響《えいきょう》も心配《しんぱい》だな～」

流氷博物館《りゅうひょうはくぶつかん》を見学《けんがく》したあと、一行《いっこう》は網走市内《あばしりしない》に戻《もど》り、江古田《えこた》が事前《じぜん》に予約《よやく》しておいてくれた旅館《りょかん》にチェックインする。今日《きょう》はその旅館《りょかん》に宿《しゅく》泊《はく》し、明日《あす》、取材先《しゅざいさき》の女《おんな》の子《こ》の家《いえ》に向《む》かう予定《よてい》だ。

この旅館《りょかん》のジンギスカンは最高《さいこう》だから、一度《いちど》、食《た》べてみる価値《かち》はあるよ

江古田《えこた》がメールで言《い》っていたとおり、夕飯《ゆうはん》に出《だ》されたジンギスカンは絶品《ぜっぴん》だった。

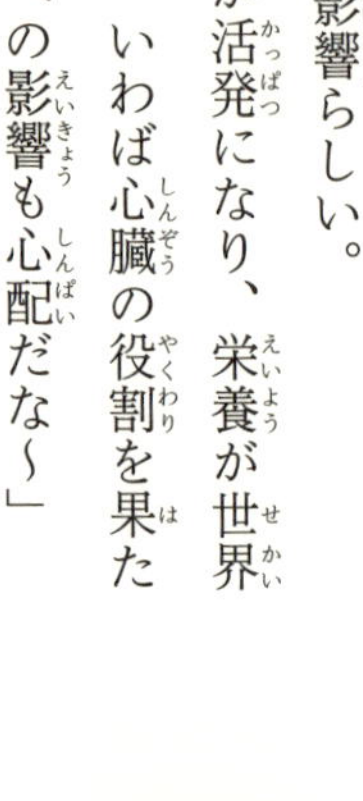

流氷砕氷船《りゅうひょうさいひょうせん》
氷《こおり》の張《は》った海《うみ》を、氷《こおり》を砕《くだ》きながら進《すす》んで、人《ひと》や貨物《かもつ》を運搬《うんぱん》する船《ふね》のこと。北海道《ほっかいどう》では観光《かんこう》用《よう》の流氷砕氷船《りゅうひょうさいひょうせん》が運《うん》航《こう》している。

ジンギスカン
羊《ひつじ》の肉《にく》を専用《せんよう》の鍋《なべ》で焼《や》き、たれで食《た》べる料《りょう》理《り》。北海道《ほっかいどう》の郷土《きょうど》料《りょう》理《り》として知《し》られる。

「さすがジンギスカンの本場《ほんば》、北海道《ほっかいどう》だけあるわね！」

「ぼく、これならご飯《はん》、５膳《ぜん》はイケるよ〜！」

皆《みな》でジンギスカンをつつき、楽《たの》しい時間《じかん》をすごすうちに、健太《けんた》は恐《おそ》ろしい妖怪《ようかい》クツツラのことをすっかり忘《わす》れていた。


一夜明《いちやあ》けた翌朝《よくあさ》。一行《いっこう》は、ハガキをくれた山本里美《やまもとさとみ》が住《す》む山《やま》あいの集落《しゅうらく》にやってきた。玄《げん》関《かん》や庭《にわ》に置《お》かれた靴《くつ》が、いつの間《ま》にかなくなるという不可思議《ふかしぎ》な現象《げんしょう》が起《お》きている集落《しゅうらく》だ。

玄関《げんかん》で健太《けんた》たちを迎《むか》えた里美《さとみ》は、なぜか悲《かな》しそうにうつむいていた。

健太《けんた》がどうしたのかとたずねると、里美《さとみ》は唇《くちびる》を震《ふる》わせながら答《こた》える。

「実《じつ》は、私《わたし》のお父《とう》さんも……、妖怪《ようかい》クツツラに靴《くつ》をとられてしまったの」

「え!?　そ……それで、お父《とう》さんは今《いま》、どうしてるの!?」

「体調不良《たいちょうふりょう》で寝《ね》ているの。ぜんぜん原因《げんいん》がわからないって……」

「ええっ!?」

クツツラに靴《くつ》をとられた人間《にんげん》は、魂《たましい》を奪《うば》われ、死《し》んでしまう。

恐井先生《こわいせんせい》のマンガを思《おも》い出《だ》し、健太《けんた》はがく然《ぜん》とした。

真実《しんじつ》は、里美《さとみ》からくわしい話《はなし》を聞《き》いた。

里美《さとみ》の父親《ちちおや》が、靴《くつ》をとられたのは、１週間前《しゅうかんまえ》のことだったという。

「お父《とう》さん、山菜《さんさい》を採《と》りに山《やま》に行《い》って、帰《かえ》ったあと、泥《どろ》のついた靴《くつ》を庭《にわ》に干《ほ》しておいたんだって。そしたら片方《かたほう》の靴《くつ》がいつの間《ま》にかなくなっていて……」

父親《ちちおや》はその後《ご》、体調《たいちょう》を崩《くず》し、今《いま》は寝《ね》たきりになっているという。

「これってクツツラのたたりよね？　どうしよう、お父《とう》さんが死《し》んじゃう……」

里美《さとみ》は、泣《な》き顔《がお》でつぶやく。

「お父《とう》さんに会《あ》わせてくれる？」

真実《しんじつ》は言《い》い、一同《いちどう》は里美《さとみ》の案内《あんない》で、父親《ちちおや》が寝《ね》ている部屋《へや》にやってきた。

父親《ちちおや》のかたわらには、里美《さとみ》の母親《ははおや》が心配《しんぱい》そうな顔《かお》で寄《よ》り添《そ》っている。

聞《き》けば父親《ちちおや》は、熱《ねつ》が40度近《どちか》くもあり、嘔吐《おうと》を繰《く》り返《かえ》しているという。

「それなのにお父《とう》さんときたら、『ただの風邪《かぜ》だ、寝《ね》てれば治《なお》る』って言《い》い張《は》って、病院《びょういん》へ行《い》こうとしないんですよ」

母親《ははおや》は、ため息《いき》をつく。

「お父《とう》さんは、山《やま》に山菜《さんさい》を採《と》りにいったと言《い》っていたよね?」

真実《しんじつ》がたずねると、里美《さとみ》はコクリとうなずいた。

真実《しんじつ》は、いつもホルダーに入《い》れて身《み》につけている七《なな》つ道具《どうぐ》の中《なか》から、虫眼鏡《むしめがね》を取《と》り出《だ》した。

「ちょっと失礼《しつれい》します」と布団《ふとん》のすそをめくり、寝《ね》ている父親《ちちおや》の足《あし》を調《しら》べ始《はじ》める。

父親《ちちおや》の左足先《ひだりあしさき》にはぽつんと小《ちい》さく、虫《むし》に刺《さ》されたような赤《あか》い跡《あと》があった。

真実《しんじつ》が、声《こえ》を漏《も》らす。

「これは……!」

真実《しんじつ》は里美《さとみ》の母親《ははおや》に向《む》き直《なお》り、深刻《しんこく》な顔《かお》で告《つ》げた。

「この症状《しょうじょう》はもしかしたら、場合《ばあい》によっては命取《いのちと》りになりかねない病気《びょうき》かもしれません。すぐに救急車《きゅうきゅうしゃ》を呼《よ》んでください」

「わ、わかったわ……」

真実《しんじつ》の言葉《ことば》に、母親《ははおや》はあわてて居間《いま》に向《む》かい、電話《でんわ》で救急車《きゅうきゅうしゃ》を呼《よ》ぶ。

父親《ちちおや》は、母親《ははおや》に付《つ》き添《そ》われて病院《びょういん》に運《はこ》ばれた。

プルル、プルル……。

しばらくして病院《びょういん》にいる母親《ははおや》から、電話《でんわ》がかかってきた。

「真実《しんじつ》さん、ありがとうございました。お父《とう》さんはＳＦＴＳ《エスエフティーエス》（重症熱性血小板減少症候群《じゅうしょうねっせいけっしょうばんげんしょうしょうこうぐん》）だったんです」

母親《ははおや》は、電話《でんわ》で真実《しんじつ》にそう言《い》ってきた。

「うわ、それは大変《たいへん》だ！」

横《よこ》で会話《かいわ》を聞《き》いていた大前先生《おおまえせんせい》は、思《おも》わず声《こえ》を張《は》り上《あ》げる。

「それってどんな病気《びょうき》なの？」

首《くび》をかしげる健太《けんた》に、真実《しんじつ》は言《い》った。

「山《やま》を歩《ある》いていると、マダニというダニにかまれることがある。これが持《も》っているウイルスに感染《かんせん》することで起《お》きる病気《びょうき》なんだ。ときには命《いのち》の危険《きけん》もある。主《おも》に西日本《にしにほん》に患者《かんじゃ》が多《おお》いんだが……」

ＳＦＴＳ《エスエフティーエス》（重症熱性《じゅうしょうねっせい》血小板減少症候群《けっしょうばんげんしょうしょうこうぐん》）
おもにウイルスを保有《ほゆう》するマダニにかまれることによって感染《かんせん》する。発熱《はつねつ》や嘔吐《おうと》、下痢《げり》などを伴《ともな》い、死《し》に至《いた》ることもある。西日本《にしにほん》を中心《ちゅうしん》に発症者《はっしょうしゃ》が出《で》ており、北海道《ほっかいどう》では2022年《ねん》9月現在《がつげんざい》まだ感染例《かんせんれい》はないが、北海道《ほっかいどう》のウェブサイトなどでは注意喚起《ちゅういかんき》を行《おこな》っている。今後《こんご》、日本全国《にほんぜんこく》に感染《かんせん》が拡大《かくだい》することが懸念《けねん》されている。

「命《いのち》の危険《きけん》!?」

(やっぱり、これは妖怪《ようかい》クッツラのたたりなんだ!)

健太《けんた》は、真《ま》っ青《さお》になる。

見《み》ると、かたわらでは里美《さとみ》も青《あお》くなり、唇《くちびる》をかみしめていた。

(……どうしよう。何《なに》か言《い》って、里美《さとみ》ちゃんを元気《げんき》づけてあげなきゃ。クッツラのたたりから逃《のが》れる方法《ほうほう》って、なんかあったかな……?)

健太《けんた》は、恐井《こわい》先生《せんせい》のマンガに描《えが》かれていたことを必死《ひっし》で思《おも》い出《だ》そうとした。しかし、恐怖《きょうふ》で頭《あたま》の中《なか》が真《ま》っ白《しろ》になってしまい、肝心《かんじん》なことは何《なに》も思《おも》い出《だ》せない。

そのとき、江古田《えこた》から、真実《しんじつ》のスマホに電話《でんわ》がかかってきた。

真実《しんじつ》から山本家《やまもとけ》の状況《じょうきょう》を聞《き》いた江古田《えこた》は、電話《でんわ》の向《む》こうでうなずく。

「それは大変《たいへん》だったね。あ、さっき地元《じもと》の同僚《どうりょう》記者《きしゃ》から連絡《れんらく》があったんだけど、靴《くつ》を盗《ぬす》んでいた容疑者《ようぎしゃ》が捕《つか》まったらしいよ。転売目的《てんばいもくてき》で盗《ぬす》んでいた若《わか》い男《おとこ》らしい。話《はなし》をしておくから、警察署《けいさつしょ》に行《い》って、お父《とう》さんの

マダニ
ダニの一種《いっしゅ》で、草《くさ》むらややぶの中《なか》に多《おお》く生息《せいそく》する。人間《にんげん》にとりつくと皮膚《ひふ》にかみつき、数《すう》日《じつ》から長《なが》いときは10日《とおか》間《かん》以上《いじょう》血《ち》を吸《す》い続《つづ》ける。SFTS《エスエフティーエス》などの病気《びょうき》を媒介《ばいかい》することでも知《し》られており、野山《のやま》に行《い》くときは肌《はだ》の露出《ろしゅつ》を少《すく》なくして、マダニにかまれないように注意《ちゅうい》することが必要《ひつよう》。

靴《くつ》を捜《さが》してみたら？」

「えっ、犯人《はんにん》は人間《にんげん》だったの!?」

健太《けんた》は、ほっとする。

「里美《さとみ》ちゃん、安心《あんしん》して。お父《とう》さんは大丈夫《だいじょうぶ》だよ」

靴《くつ》を盗《ぬす》んだのが妖怪《ようかい》クツツラでなければ、命《いのち》を奪《うば》われる心配《しんぱい》はない。里美《さとみ》の父親《ちちおや》はきっと助《たす》かると、健太《けんた》は思《おも》ったのだ。ところが……。

大前先生《おおまえせんせい》と真実《しんじつ》たちに付《つ》き添《そ》われ、警察署《けいさつしょ》にやってきた里美《さとみ》は、犯人《はんにん》の自宅《じたく》から押収《おうしゅう》された靴《くつ》の中《なか》に父親《ちちおや》の靴《くつ》がないかと必死《ひっし》で捜《さが》した。

しかし、小《ちい》さくため息《いき》をつく。

父親《ちちおや》の靴《くつ》は、犯人《はんにん》が盗《ぬす》んだ靴《くつ》の中《なか》にはなかったのだ。

「そもそも、お父《とう》さんの靴《くつ》は履《は》き古《ふる》したおんぼろな靴《くつ》で、泥棒《どろぼう》に狙《ねら》われるようないい靴《くつ》じゃないの。それに盗《ぬす》まれたのは片方《かたほう》だけだし……」

それを聞《き》いて、健太《けんた》はハッとした。

（やっぱり里美《さとみ》ちゃんのお父《とう》さんの靴《くつ》を盗《ぬす》んだのは、妖怪《ようかい》クツツラかも！　でも、大丈夫《だいじょうぶ》、里美《さとみ》ちゃんのお父《とう》さんの命《いのち》はきっと助《たす》かる……）

恐井先生《こわいせんせい》のマンガには、クツツラに靴《くつ》を片方《かたほう》だけとられた人《ひと》も登場《とうじょう》する。その場合《ばあい》、その人《ひと》は病気《びょうき》にかかるが、命《いのち》は助《たす》かる。しかし、両方《りょうほう》の靴《くつ》をとられてしまうと、命《いのち》が尽《つ》きてしまうのだ。

「里美《さとみ》ちゃん、お父《とう》さんの、もう片方《かたほう》の靴《くつ》はどこ!?」

里美《さとみ》の家《いえ》に戻《もど》った健太《けんた》は、里美《さとみ》にたずねた。

「えっ、たしか、げた箱《ばこ》の中《なか》に入《い》れてあったと思《おも》ったけど……」

里美《さとみ》が、げた箱《ばこ》から父親《ちちおや》の片方《かたほう》の靴《くつ》を持《も》ってくると、健太《けんた》はそれをリュックに入《い》れ、背負《せお》った。こうして自分《じぶん》が守《まも》っていれば、クツツラにとられる心配《しんぱい》はないと考《かんが》えたのだった。

「大丈夫《だいじょうぶ》、キミのお父《とう》さんの命《いのち》、ぼくが守《まも》ってあげるからね！」

そんな健太《けんた》を見《み》て、美希《みき》はあきれ顔《がお》で言《い》った。

「もう、健太《けんた》くん、何《なん》でもかんでも妖怪《ようかい》と結《むす》びつけないでよ！」

一方《いっぽう》、真実《しんじつ》は、ひとりマイペースに玄関《げんかん》から出《で》ていった。

「えっ、真実《しんじつ》くん、どこ行《い》くの？」

「靴《くつ》を盗《ぬす》んだ犯人《はんにん》の手《て》がかりを探《さが》そうと思《おも》うんだ」

あわてて健太《けんた》も、美希《みき》や大前先生《おおまえせんせい》とともに、真実《しんじつ》を追《お》って外《そと》に出《で》た。

「おや？　こんなところに足跡《あしあと》がある」

庭《にわ》に出《で》てすぐ、大前先生《おおまえせんせい》が庭《にわ》から外《そと》の道《みち》へと点線《てんせん》を描《えが》くように続《つづ》く1本《ぽん》の足跡《あしあと》を見《み》つけた。

「何《なに》かの動物《どうぶつ》の足跡《あしあと》かねえ」

「でも、足跡《あしあと》は1本《ぽん》よ？　1本足《ぽんあし》の動物《どうぶつ》なんているかしら？」

美希《みき》は、首《くび》をかしげる。

「そんな動物《どうぶつ》はいないよ！　これは妖怪《ようかい》の足跡《あしあと》だ！　1本足《ぽんあし》の妖怪《ようかい》といえば……か、傘化《かさば》け!?」

健太《けんた》は、背筋《せすじ》がゾッとした。

庭《にわ》の外《そと》は舗装《ほそう》されていない道《みち》で、家《いえ》の敷地《しきち》を出《で》てからも足跡《あしあと》は赤土《あかつち》の上《うえ》にくっきりと残《のこ》されている。

傘化《かさば》け
「からかさお化《ば》け」とも。一つ目《ひとつめ》のついた和傘《わがさ》が1本足《ぽんあし》で跳《と》びはねている描写《びょうしゃ》がされることが多《おお》い。

4人《にん》は、その足跡《あしあと》をたどっていった。

しばらく歩《ある》いたあと、健太《けんた》はハッと息《いき》をのんだ。

1本《ぽん》の線《せん》を描《えが》いていた足跡《あしあと》が、枝分《えだわ》かれして、3本《ぼん》になったのだ。

「1本足《ぽんあし》が、3本足《ぼんあし》に!? これはもう、妖怪《ようかい》どころじゃない……宇宙人《うちゅうじん》!?」

健太《けんた》は、激《はげ》しく動揺《どうよう》する。

しかし、真実《しんじつ》と大前先生《おおまえせんせい》は、楽《たの》しげな顔《かお》だ。二人《ふたり》は、ナゾが深《ふか》ければ深《ふか》いほど、のめり込《こ》むタイプなのだ。


1本《ぽん》の直線的《ちょくせんてき》な足跡《あしあと》は、ときどき枝分《えだわ》かれして3本《ぼん》になったり、2本《ほん》になったり、そんなことを繰《く》り返《かえ》しながら、山《やま》の奥《おく》のほうへと続《つづ》いていた。

真実《しんじつ》、健太《けんた》、美希《みき》、大前先生《おおまえせんせい》が足跡《あしあと》を追《お》ってたどりついたのは、墓地《ぼち》だった。

墓地《ぼち》の前《まえ》には、誰《だれ》のものかはわからない、片方《かたほう》だけのサンダルが落《お》ちている。

「あ! あれは革靴《かわぐつ》じゃない?」

美希《みき》が指《ゆび》さす先《さき》には、何《なに》かにかじられて先端《せんたん》が欠《か》けた革靴《かわぐつ》もあった。

そこをぬけて進《すす》んでいくと、道《みち》の横《よこ》に洞穴《ほらあな》が見《み》えた。

洞穴《ほらあな》をのぞくと、中《なか》には、ざっと見《み》て50足《そく》ほどの靴《くつ》が散乱《さんらん》していた。

「この洞穴《ほらあな》は……妖怪《ようかい》クツツラのすみか!?」

健太《けんた》はあとずさったが、真実《しんじつ》と大前先生《おおまえせんせい》は平気《へいき》な顔《かお》で中《なか》へと入《はい》っていった。

「おや？　この靴《くつ》、動物《どうぶつ》のフンが付着《ふちゃく》してるねえ」

靴《くつ》の一《ひと》つを無造作《むぞうさ》に手《て》に取《と》ろうとした大前先生《おおまえせんせい》に、真実《しんじつ》はピシャリと言《い》う。

「触《さわ》ってはダメ！　先生《せんせい》、危険《きけん》です！」

「あ、そうか」

大前先生《おおまえせんせい》は、あわてて手《て》を引《ひ》っ込《こ》めた。


追跡《ついせき》を終《お》えて、一行《いっこう》は山本家《やまもとけ》の庭《にわ》に戻《もど》ってきた。真実《しんじつ》は、皆《みな》に言《い》った。

「靴泥棒《くつどろぼう》の正体《しょうたい》はわかった。さっきたどった足跡《あしあと》は、かなり新《あたら》しいものだ。靴泥棒《くつどろぼう》は今夜《こんや》もこの庭《にわ》に現《あらわ》れるかもしれない。靴《くつ》をオトリにしてつかまえれば、正体《しょうたい》がはっきりする。……健太《けんた》くん、キミがリュックに入《い》れているその靴《くつ》、ちょっと貸《か》してくれないか」

「里美《さとみ》ちゃんのお父《とう》さんの靴《くつ》をオトリにするの!?　ダ、ダメだよ！　そんなことをしたらお父《とう》さんが死《し》んじゃう！　オトリにするならぼくの靴《くつ》を使《つか》って！」

健太《けんた》は、履《は》き古《ふる》した自分《じぶん》のスニーカーの片方《かたほう》を脱《ぬ》ぎ、真実《しんじつ》の手《て》に押《お》しつけた。

「犯人《はんにん》が妖怪《ようかい》クツツラだったとしても、片方《かたほう》の靴《くつ》をとられるだけなら、ぼくは病気《びょうき》になるだけですむんだ。だから、お願《ねが》い、ぼくの靴《くつ》をオトリに……」

悲壮《ひそう》な決意《けつい》をした健太《けんた》を、真実《しんじつ》は静《しず》かに見《み》つめていた。

……が、やがて、ふっと笑《え》みを漏《も》らし、言《い》った。

「わかった。健太《けんた》くん、キミの靴《くつ》をオトリに使《つか》わせてもらうよ。はだしでいるのはまずいから、ぼくの持《も》っている予備《よび》の靴《くつ》を貸《か》してあげる」

真実《しんじつ》は健太《けんた》に自分《じぶん》の靴《くつ》を履《は》かせると、手《て》にした健太《けんた》の靴《くつ》を庭《にわ》の一角《いっかく》に置《お》く。そして大前先《おおまえせん》生《せい》に手伝《てつだ》ってもらい、靴《くつ》のそばに監視《かんし》カメラを設置《せっち》した。

監視《かんし》カメラの映像《えいぞう》をパソコンでモニタリングしながら、靴泥棒《くつどろぼう》が現《あらわ》れるのを待《ま》つ作戦《さくせん》だった。はたして、その正体《しょうたい》とは……？

北海道《ほっかいどう》ではおなじみの動物《どうぶつ》だよ

解《かい》決《けつ》編《へん》

夜《よる》になり、何《なに》かが庭《にわ》に現《あらわ》れた。どうやら3匹《びき》の動物《どうぶつ》のようだ。

先頭《せんとう》にいた動物《どうぶつ》が、健太《けんた》の靴《くつ》に近《ちか》づいていく。

「あれは……キツネ!?」

靴泥棒《くつどろぼう》は、なんとキツネだった。母《はは》ギツネと、2匹《ひき》の子《こ》ギツネである。

母《はは》ギツネは、靴《くつ》の匂《にお》いをしばらく嗅《か》いだあと、それをサッとくわえて、一方《いっぽう》へと歩《ある》いていく。子《こ》ギツネたちもあとを追《お》い、3匹《びき》はどこかへ消《き》えていった。

一同《いちどう》は庭《にわ》に出《で》て、キツネたちが去《さ》ったあとの地面《じめん》を懐中電灯《かいちゅうでんとう》で照《て》らす。そこには、直線《ちょくせん》的《てき》な1本《ぽん》の足跡《あしあと》が残《のこ》されていた。それを指《さ》しながら、真実《しんじつ》は言《い》う。

「キツネは、フォックストロットと呼《よ》ばれる速足《はやあし》の忍《しの》び歩《ある》きで進《すす》むとき、1本《ぽん》の線《せん》の上《うえ》を歩《ある》くような、特徴的《とくちょうてき》な歩《ある》き方《かた》をするんだ。その足跡《あしあと》は、まるで1本足《ぽんあし》の生《い》き物《もの》が歩《ある》いた跡《あと》のような、1本《ぽん》の線《せん》になる」

「でも、キツネはぜんぶで3匹《びき》いたのよ？　足跡《あしあと》は1本《ぽん》って、どういうこと？」

美希《みき》が問《と》い返《かえ》した。

「それは子《こ》ギツネたちが、母《はは》ギツネが通《とお》った道《みち》を通《とお》ったからさ。移動《いどう》するとき、キツネは縦《たて》

1列《れつ》になるんだ。ときどき足跡《あしあと》が枝分《えだわ》かれして、2本《ほん》になったり、3本《ぼん》になったりしたのは、子《こ》ギツネたちが、少《すこ》しだけ道《みち》をそれたためだ」

「真実《しんじつ》くんは、足跡《あしあと》を見《み》たときから、靴泥棒《くつどろぼう》の正体《しょうたい》がキツネだってわかってたの?」

健太《けんた》は、キツネにつままれたような顔《かお》でつぶやく。

「まあね。同《おな》じイヌ科《か》の犬《いぬ》やタヌキも歩《ある》き方《かた》は似《に》ているけど、これほど左右《さゆう》の足跡《あしあと》にぶれがなく、一直線《いっちょくせん》に歩《ある》く動物《どうぶつ》はキツネしかいない。それに、キツネが靴《くつ》を集《あつ》める性質《せいしつ》があるということも各地《かくち》で報告《ほうこく》されているんだ」

「……そうだったんだ。でも、どうしてキツネは靴《くつ》を盗《ぬす》むんだろう?」

「理由《りゆう》については諸説《しょせつ》あるけど、エサと間違《まち》えるという説《せつ》が有力《ゆうりょく》かな。人間《にんげん》の汗《あせ》の匂《にお》いが染《し》みついた靴《くつ》を、キツネはエサの動物《どうぶつ》とカン違《ちが》いするんだろうね」

真実《しんじつ》の言葉《ことば》に、大前先生《おおまえせんせい》はうなずきながら言《い》った。

「ぼくがフンの付着《ふちゃく》した靴《くつ》に触《さわ》ろうとしたとき、謎野《なぞの》くんがあわてて止《と》めたのは、靴泥棒《くつどろぼう》がキツネだってわかっていたからなんだね。うっかりしていたよ」

キツネにはエキノコックスという、人体《じんたい》にも重病《じゅうびょう》を引《ひ》き起《お》こす寄生虫《きせいちゅう》がいることがあり、フンや唾液《だえき》などがついたものを素手《すで》で触《さわ》るのは危険《きけん》だという。

「かわいいキツネが、そんな恐《おそ》ろしい寄生虫《きせいちゅう》を持《も》っているなんて……」

ショックを受《う》けた健太《けんた》に、真実《しんじつ》は笑《わら》いながら、こう言《い》い返《かえ》した。

「いや、だからって、むやみにキツネを恐《おそ》れることはない。そもそも野《や》生動物《せいどうぶつ》とは、距離《きょり》をおいて付《つ》き合《あ》うことが大事《だいじ》なのさ」

SFTS《エスエフティーエス》にかかった里美《さとみ》の父親《ちちおや》は、病院《びょういん》で治療《ちりょう》を受《う》け、どうにか一《いち》命《めい》を取《と》り留《と》めた。今《いま》は回復《かいふく》に向《む》かっているという。

「真実《しんじつ》さん、本当《ほんとう》にありがとうございます。あのとき、救急車《きゅうきゅうしゃ》を呼《よ》べと言《い》ってくれたおかげで、お父《とう》さんは命《いのち》が助《たす》かりました。それと、健太《けんた》さんも……」

「えっ、ぼ、ぼく!?」

「お父《とう》さんを一生懸命《いっしょうけんめい》、守《まも》ろうとしてくれて、ありがとうございました」

エキノコックス
キツネやイヌなどに寄《き》生《せい》する寄生虫《きせいちゅう》。キツネやイヌのフンなどについているエキノコックスの卵《たまご》を人間《にんげん》が気《き》づかずに口《くち》から取《と》り込《こ》むと、エキノコックスの幼虫《ようちゅう》が人間《にんげん》の体内《たいない》で成《せい》長《ちょう》して増殖《ぞうしょく》し、「エキノコックス症《しょう》」と呼《よ》ばれる病気《びょうき》になることがある。

「いや、ぼくは妖怪《ようかい》クッツラのしわざとカン違《ちが》いしていただけで……はは。でも、事件《じけん》が解《かい》決《けつ》してよかったね。これで集落《しゅうらく》の人《ひと》たちも安心《あんしん》して暮《く》らせるね」


翌日《よくじつ》、一行《いっこう》は観光《かんこう》がてら、キタキツネの保護区《ほごく》に立《た》ち寄《よ》った。

自然観察路《しぜんかんさつろ》を歩《ある》いていると、白衣《はくい》を着《き》た一人《ひとり》の女性《じょせい》の姿《すがた》が目《め》に入《はい》る。アジア系《けい》のようだが、女性《じょせい》は背《せ》が高《たか》く、茶色《ちゃいろ》の髪《かみ》で、外国人《がいこくじん》のような雰囲気《ふんいき》をまとっていた。

そして、何《なに》かを待《ま》つようにたたずむ女性《じょせい》の傍《かたわ》らには、１匹《ぴき》の子《こ》ギツネがいた。

「あの……、何《なに》をしているんですか？」

気《き》になった美希《みき》は、女性《じょせい》に話《はな》しかけた。すると、女性《じょせい》は、髪《かみ》をかき上《あ》げながら、流暢《りゅうちょう》な日《に》本語《ほんご》で答《こた》える。

「この子《こ》の母親《ははおや》を待《ま》ってるの。野生《やせい》に帰《かえ》すためよ」

その女性《じょせい》は獣医師《じゅういし》で、名前《なまえ》はドクター・モリー。最近来日《さいきんらいにち》し、日本中《にほんじゅう》を渡《わた》り歩《ある》きながら、病気《びょうき》やけがをした動物《どうぶつ》の治療《ちりょう》に当《あ》たっているという。

「この子《こ》は、交通事故《こうつうじこ》に遭《あ》ってけがをして、保護区《ほごく》に連《つ》れてこられた子《こ》ギツネなの」

「えっ、交通事故《こうつうじこ》!?」

健太《けんた》は驚《おどろ》く。しかし、見《み》たところ、子《こ》ギツネの体《からだ》に傷《きず》はなく、いたって元気《げんき》そうだ。

「もう治《なお》ったのよ。でも、野生動物《やせいどうぶつ》は、ペットや家畜《かちく》とは違《ちが》うからね。治療《ちりょう》したあと、しっかり野生《やせい》に帰《かえ》してあげるのも、大事《だいじ》な仕事《しごと》なのよ」

しばらく待《ま》っていると、少《すこ》し離《はな》れた草原《そうげん》の中《なか》、母《はは》ギツネが姿《すがた》を現《あらわ》す。

「ほら、行《い》きなさい。あなたのけがは、もう治《なお》ったのよ」

モリーに背中《せなか》を押《お》された子《こ》ギツネは、別《わか》れを惜《お》しむかのように何度《なんど》も振《ふ》り返《かえ》りながら、母《はは》ギツネのもとに駆《か》け寄《よ》っていく。

子《こ》ギツネと母《はは》ギツネは、体《からだ》をすり寄《よ》せ合《あ》い、再会《さいかい》を喜《よろこ》び合《あ》った。

やがてキツネの親子《おやこ》は、草原《そうげん》のかなたへと消《き》えていく。

一同《いちどう》は、その様子《ようす》を感動《かんどう》の目《め》で見《み》つめていた。

「素敵《すてき》なお仕事《しごと》をなさってるんですね。あの、写真《しゃしん》、撮《と》らせてもらってもいいですか?」

美希《みき》が写真《しゃしん》を撮《と》ろうとすると、モリーはそれをさえぎって言《い》った。

「ごめん、写真《しゃしん》は勘弁《かんべん》して。ほら私《わたし》、スッピンだし、こんなボサボサ頭《あたま》でしょ」

モリーは、そう言《い》って笑《わら》うと、さっそうと歩《ある》き去《さ》っていった。
空《そら》の上《うえ》には、1羽《わ》のタカが悠然《ゆうぜん》と舞《ま》っていた——。

2

SCIENCE TRICK DATA FILE

科学《かがく》トリック データファイル

動物《どうぶつ》の足跡《あしあと》の特徴《とくちょう》を知《し》ろう

キツネは、ほぼ一直線《いっちょくせん》に並《なら》ぶ特《とく》徴《ちょう》的《てき》な足跡《あしあと》を残《のこ》します。ほかにもウサギやタヌキ、イノシシといった動物《どうぶつ》は足跡《あしあと》に特徴《とくちょう》があり、よく観察《かんさつ》すればどんな動物《どうぶつ》がすんでいるかがわかります。ぬかるみや雪《ゆき》の上《うえ》に残《のこ》された動物《どうぶつ》の足跡《あしあと》から種類《しゅるい》や行動《こうどう》を探《さぐ》ることを「アニマルトラッキング」といいます。

動物《どうぶつ》の足跡《あしあと》の特徴《とくちょう》

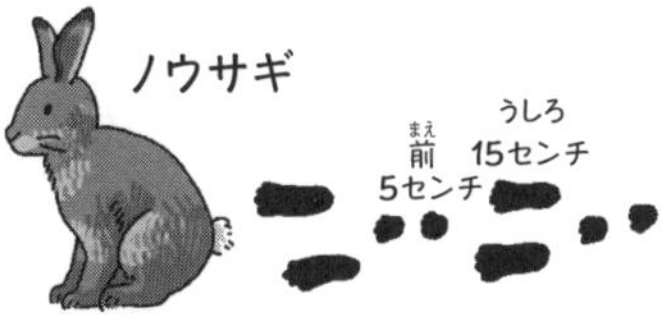

Y字形《ワイじがた》の足跡《あしあと》になる。前《まえ》足《あし》がチョンチョンと地面《じめん》につき、うしろ足《あし》がパッと左《さ》右同時《ゆうどうじ》に着地《ちゃくち》する

足《あし》の大《おお》きさは3～4センチ程度《ていど》。手《て》のひらにあたる部分《ぶぶん》と、爪《つめ》の跡《あと》が四《よっ》つつくのが特徴《とくちょう》

2本《ほん》の大《おお》きなひづめ（主蹄《しゅてい》）の跡《あと》と、小《ちい》さなひづめ（副蹄《ふくてい》）の跡《あと》。前足《まえあし》、うしろ足《あし》とも大《おお》きさがほぼ同《おな》じ

動物《どうぶつ》のフンで見分《みわ》ける

野生動物《やせいどうぶつ》は、フンの形《かたち》や大《おお》きさにも特徴《とくちょう》がある。ウサギのフンは小《ちい》さく、キツネは先《さき》がとがっている

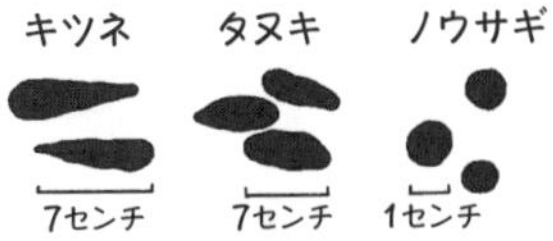

毎朝新聞

そもそもキツネが人間
影響《えいきょう》を与《あた》えるようになっ
生息《せいそく》する環境が近

化
解決《いけつ》！
超常現象《ょうじょうげんしょう》ハンター

妖怪《ようかい》クツツラのしわざと思《おも》われていた靴盗難事《くつとうなんじ》件《けん》の真犯人《しんはんにん》は、キツネだった。先日《せんじつ》、北海道網《ほっかいどうあ》走市《ばしりし》で起《お》きた山本里美《やまもとさとみ》さん（9）の父《ちち》・澄夫《すみお》さん（46）の靴《くつ》が片方《かたほう》だけ盗《ぬす》まれた事件《じけん》も、キツネのしわざとわかり、一件《いっけん》落着《らくちゃく》した。

キツネが靴《くつ》を盗《ぬす》むという現象《げんしょう》は、日本《にほん》では兵庫《ひょうご》や長野《ながの》、海外《かいがい》ではドイツなど、各地《かくち》で報告《ほうこく》されている。それだけ人間《にんげん》にとって身近《みぢか》な動物《どうぶつ》ということなのだろう。

しかし、近年《きんねん》、人《ひと》によるキツネの餌付《えづ》けが大《おお》きな問題《もんだい》となっている。キツネが食《た》べ物《もの》を求《もと》めて道《どう》路《ろ》に出《で》て車《くるま》にひかれたり、栄養《えいよう》のバランスが崩《くず》れることで免疫低下《めんえきていか》し、皮膚《ひふ》病《びょう》になったりすることもあり、被害《ひがい》は甚大《じんだい》だ。人《にん》間《げん》は野生動物《やせいどうぶつ》と一定《いってい》の距《きょ》離《り》をおいて付《つ》き合《あ》っていくことが大切《たいせつ》なのだ。

第《だい》二《に》回《かい》 キツネと人間《にんげん》 適切《てきせつ》な距離感《きょりかん》を

監視《かんし》カメラに映《うつ》った
キツネの親子《おやこ》が靴《くつ》を盗《ぬす》む決定的瞬間《けっていてきしゅんかん》

ひとくちグルメ《メ》MEMO《モ》

北海道《ほっかいどう》のグルメといえば、「ザンギ」、「石狩鍋《いしかりなべ》」に「ジンギスカン」。そしてやわらかい羊《ひつじ》の肉《にく》と甘《あま》じょっぱいタレの絶妙《ぜつみょう》なハーモニーは、一《いち》度《ど》食《た》べたらクセになる。（M・A）

靴《くつ》を盗《ぬす》ん
キツネに
罪《つみ》がか
そこか
はやく
そろえ
たほ
に住《す》

キツネって、昔話《むかしばなし》とかにもよく出《で》てくるよね？

それだけ日本《にほん》でも昔《むかし》から身近《みぢか》にいる動物《どうぶつ》だったってことなんじゃない？

そういえば、「キツネ」がつく言葉《ことば》もたくさんあるよね。
「きつねうどん」とか、今流行《いまりゅうこう》の「きつねダンス」とか？

「きつね火《び》」や「きつね日和《びより》」もあるよ。

日《ひ》が照《て》っているかと思《おも》えば、雨《あめ》が降《ふ》ったりするような天気《てんき》が「きつね日和《びより》」。
日《ひ》が照《て》っているのに雨《あめ》が降《ふ》りだす天気雨《てんきあめ》のことを
「きつねの嫁入《よめい》り」ともいうね。

えっ、「きつねの嫁入《よめい》り」って、そういう意味《いみ》だったの？　ぼくはてっきり
きつね火《び》がたくさん現《あらわ》れる怪奇現象《かいきげんしょう》のことだと思《おも》ってたけど……。

もちろん、そういう意味《いみ》で使《つか》われることもある。
キツネは昔《むかし》から信仰《しんこう》の対象《たいしょう》にもなっている。
神秘的《しんぴてき》でちょっと不思議《ふしぎ》な動物《どうぶつ》ってことなんだろうね。

キツネの子育《こそだ》ては4月《がつ》から8月《がつ》。
靴《くつ》をエサと間違《まちが》えて持《も》っていくのも、この時期《じき》に多《おお》いんだ。

たたられた恐竜《きょうりゅう》の化石《かせき》

超《ちょう》・自然現象《しぜんげんしょう》3

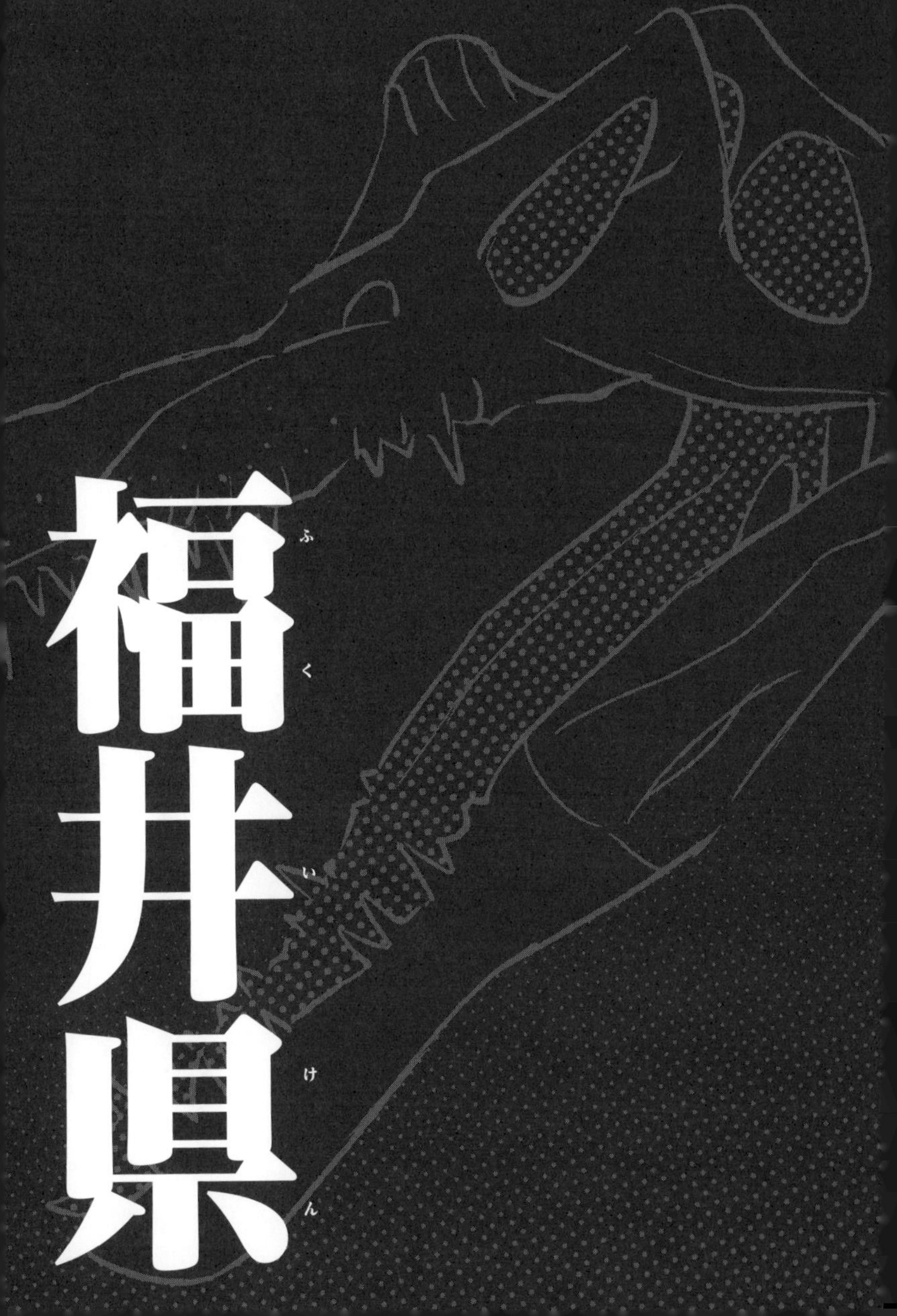

福《ふく》井《い》県《けん》

「うんまーい!!」

たっぷりソースがかかった大きな《おお》カツをほおばり、健太《けんた》が声《こえ》をあげる。

「だろう？　福井県《ふくいけん》のグルメといえば、このソースカツ丼《どん》さ」

そう言《い》うと、新聞記者《しんぶんきしゃ》の江古田《えこた》もガブリとカツにかじりついた。

江古田《えこた》の依頼《いらい》で始《はじ》まった新聞連載《しんぶんれんさい》「解決《かいけつ》！　超常現象《ちょうじょうげんしょう》ハンター」の取材《しゅざい》のため、真実《しんじつ》たちは福井県《ふくいけん》のある町《まち》に来《き》ていた。

ナプキンでていねいに口元《くちもと》をふきおえた真実《しんじつ》が、江古田《えこた》に言《い》う。

「江古田《えこた》さん、この町《まち》で不思議《ふしぎ》なことが起《お》きていると相談《そうだん》があったとか？」

「そうなんだ。実《じつ》は、大学時代《だいがくじだい》の友人《ゆうじん》がこの町《まち》の町長《ちょうちょう》をしていてね」

江古田《えこた》がそこまで言《い》ったとき、店《みせ》の戸《と》がガラガラと開《あ》き、スーツ姿《すがた》の小太《こぶと》りの男《おとこ》が入《はい》ってきた。

「おっ。うわさをすれば……アイツが取材《しゅざい》の依頼主《いらいぬし》、町長《ちょうちょう》の深見《ふかみ》だよ」

ソースカツ丼《どん》
カツを卵《たまご》でとじずにご飯《はん》の上《うえ》にのせ、ソースをかけて食《た》べる料理《りょうり》。福井県《ふくいけん》などのご当地《とうち》料理《りょうり》として知《し》られる。

健太《けんた》が振《ふ》り向《む》くと、深見町長《ふかみちょうちょう》のうしろから、若《わか》い女性《じょせい》が駆《か》け込《こ》んできた。

「深見町長《ふかみちょうちょう》！　例《れい》のお願《ねが》いはどうなりましたか!?」

「まあまあ、古代《こだい》くん落《お》ち着《つ》いて。まずは腹《はら》ごしらえでもしよっさ……」

「そんなヒマはありません！　このまま地震《じしん》が続《つづ》いたら、地層《ちそう》の中《なか》の恐竜《きょうりゅう》の化石《かせき》が、壊《こわ》れてしまうかもしれないんです！　早《はや》く発掘《はっくつ》を進《すす》めないと！」

二人《ふたり》の会話《かいわ》を耳《みみ》にした健太《けんた》が、あわてて口《くち》の中《なか》のカツを飲《の》みこむ。

「地震《じしん》!?　恐竜《きょうりゅう》の化石《かせき》!?　一体《いったい》どういうこと!?」


真実《しんじつ》たちと同《おな》じテーブルを囲《かこ》んだ深見《ふかみ》は、額《ひたい》の汗《あせ》をぬぐった。

「町長《ちょうちょう》の深見《ふかみ》です。江古田《えこた》くんとは大学《だいがく》の同期《どうき》でね。そしてこちらは……」

「この町《まち》の博物館《はくぶつかん》で学芸員《がくげいいん》をしている、古代智子《こだいともこ》です。よろしくね」

話《はなし》によると、智子《ともこ》は近《ちか》くの山《やま》で、恐竜《きょうりゅう》の化石《かせき》を発見《はっけん》したのだという。

「右足《みぎあし》の化石《かせき》よ。ティラノサウルス類《るい》の恐竜《きょうりゅう》らしくてね。日本《にほん》では、これまで歯《は》の化石《かせき》しか見《み》つかっていないから、発掘《はっくつ》を進《すす》めて全身《ぜんしん》の化石《かせき》が見《み》つかれば大発見《だいはっけん》なのよ。でも……」

そのとき、グラグラと店内《てんない》が揺《ゆ》れた。

コップがカタカタと音《おと》をたてる。

「わわわっ！　地震《じしん》!?」

あわてる健太《けんた》。江古田《えこた》が眉《まゆ》をひそめて深見《ふかみ》に言《い》う。

「これが、おまえが言《い》ってた、例《れい》の地震《じしん》か？」

「ほうや（そうだ）。化石《かせき》の発掘《はっくつ》を始《はじ》めたころから、小《ち》さな揺《ゆ》れが一日《いちにち》に何度《なんど》も起《お》きるようになってな。町《まち》の者《もの》は、この土地《とち》を守《まも》る竜神様《りゅうじんさま》のたたりだって、おびえとるんや」

「それで、化石《かせき》の発掘《はっくつ》も中止《ちゅうし》になってしまったの」

智子《ともこ》がくやしそうにこぶしをにぎると、真実《しんじつ》が顔《かお》をあげた。

「ナゾの地震《じしん》と恐竜《きょうりゅう》の化石《かせき》……。何《なに》か関係《かんけい》があるのか、調《しら》べてみよう」

真実《しんじつ》たちは、さっそく山《やま》の発掘現場《はっくつげんば》へ向《む》かった。

大《おお》きなリュックを背負《せお》って山道《やまみち》を歩《ある》きながら智子《ともこ》が言《い》う。

ティラノサウルス類《るい》
恐竜《きょうりゅう》の一種《いっしゅ》。史上最《しじょうさい》大級《だいきゅう》の肉食恐竜《にくしょくきょうりゅう》とされるティラノサウルス・レックスが有名《ゆうめい》だが、初期《しょき》のティラノサウルス類《るい》はウマ程度《ていど》の大《おお》きさだった。

竜神《りゅうじん》
竜《りゅう》を神格化《しんかくか》した呼《よ》び方《かた》で、雨《あめ》や水《みず》をつかさどる水神《すいじん》の一種《いっしゅ》とされる。

「私《わたし》は小《ちい》さいころから化石《かせき》を探《さが》すのが好《す》きだったの。ほら、こんなふうに……」

智子《ともこ》は、道端《みちばた》に落《お》ちていた、野球《やきゅう》ボールほどの丸《まる》い石《いし》を拾《ひろ》い上《あ》げた。

「この丸《まる》いかたまりはノジュールっていうの。こうして、ハンマーでたたくと……」

カツーン!

丸《まる》い形《かたち》のノジュールは、智子《ともこ》の手《て》のひらの中《なか》でまっぷたつに割《わ》れた。

智子《ともこ》は割《わ》れた石《いし》を開《ひら》いてみせた。すると、真《ま》ん中《なか》に貝《かい》の化石《かせき》が入《はい》っていた。

「あっ! これって、アンモナイトの化石《かせき》!?」

健太《けんた》がキラキラと目《め》を輝《かがや》かせる。

「ノジュールの中《なか》には、化石《かせき》が入《はい》っていることがあるの。こうやって、毎日《まいにち》化石《かせき》を探《さが》しながら、いつか、大《おお》きな恐竜《きょうりゅう》の化石《かせき》を見《み》つけるんだって夢見《ゆめみ》てたのよ」

ノジュール
「小《ちい》さな塊《かたまり》」の意味《いみ》。生物《せいぶつ》の死体《したい》などが核《かく》となり、物質《ぶっしつ》が凝縮《ぎょうしゅく》してできることが多《おお》く、中《なか》によく化石《かせき》が入《はい》っている。

「それでほんとに、ティラノサウルス類《るい》の化石《かせき》を見《み》つけたんだもん、智子《ともこ》さんはすごいや！」

健太《けんた》の言葉《ことば》に、智子《ともこ》はさびしそうにほほ笑《え》んだ。

「さあ、行《い》きましょう。この先《さき》が発掘現場《はっくつげんば》よ」

木々《きぎ》の間《あいだ》をぬけると、しま模様《もよう》の断層《だんそう》に囲《かこ》まれた地帯《ちたい》があった。

「ここが恐竜《きょうりゅう》の化石《かせき》の発掘現場《はっくつげんば》……!?」

健太《けんた》が見回《みまわ》すと、「発掘反対《はっくつはんたい》！」「竜神様《りゅうじんさま》のたたり！」と赤《あか》いペンキで乱暴《らんぼう》に書《か》かれた看板《かんばん》が、あたり一面《いちめん》に立《た》てられている。

「発掘《はっくつ》を始《はじ》めてしばらくすると、原因不明《げんいんふめい》の地震《じしん》が続《つづ》くようになってね。山《やま》を流《なが》れる川《かわ》の水《みず》も減《へ》って、竜神様《りゅうじんさま》がすむという沢《さわ》の水《みず》も枯《か》れてしまったの。町《まち》の人《ひと》たちはおびえて、発掘《はっくつ》を中止《ちゅうし》しろって。もしも、ティラノサウルス類《るい》の全身《ぜんしん》の化石《かせき》が見《み》つかれば、日本初《にほんはつ》の大発見《だいはっけん》になるかもしれないのに……」

そう言《い》って智子《ともこ》は唇《くちびる》をかんだ。

発掘
反対！
竜神様の
たたり！
反対

「でも、何度《なんど》も地震《じしん》が起《お》きるだなんて、ただごとじゃないよね!? それってやっぱり竜神様《りゅうじんさま》のたたりなんじゃ……」

「いや、そうとは限《かぎ》らない」

健太《けんた》の意見《いけん》を、真実《しんじつ》がさえぎる。

「アメリカで、大量《たいりょう》の排水《はいすい》を地下《ちか》に流《なが》した結果《けっか》、たびたび地震《じしん》が起《お》きるようになったという例《れい》もある。小規模《しょうきぼ》な地震《じしん》なら、人《ひと》の手《て》で起《お》こすことは可能《かのう》だよ」

「だとしたら、一体誰《いったいだれ》が……?」

智子《ともこ》がつぶやくと、美希《みき》が看板《かんばん》を指《ゆび》さした。

「もしかして、化石《かせき》の発掘《はっくつ》に反対《はんたい》する人《ひと》たちとか!?」

「ここにある、発掘反対《はっくつはんたい》の看板《かんばん》を立《た》てたのは誰《だれ》ですか?」

真実《しんじつ》が智子《ともこ》にたずねる。

「この町《まち》で建築業《けんちくぎょう》をしている、宝生《ほうしょう》という人《ひと》よ。化石《かせき》コレクターとしても有名《ゆうめい》で、化石《かせき》だらけの彼《かれ》の家《いえ》は、町《まち》の人《ひと》たちに恐竜屋敷《きょうりゅうやしき》って呼《よ》ばれてるの」

健太《けんた》は腕《うで》を組《く》んで考《かんが》えた。

「うーん。建築業《けんちくぎょう》で化石《かせき》コレクター。もしかしてその人《ひと》、発掘《はっくつ》を中止《ちゅうし》にしたあと、自分《じぶん》で掘《ほ》って、化石《かせき》を横取《よこど》りしようとしてるとか!?」

健太《けんた》の推理《すいり》に、真実《しんじつ》はやれやれとため息《いき》をつく。

「まだ何《なん》の証拠《しょうこ》もないよ。でも、その恐竜屋敷《きょうりゅうやしき》をたずねてみる価値《かち》はありそうだ」

翌日《よくじつ》。

真実《しんじつ》たちを出迎《でむか》えた恐竜屋敷《きょうりゅうやしき》の主人《しゅじん》・宝生集造《ほうしょうしゅうぞう》は、金歯《きんば》を光《ひか》らせて笑《わら》った。

「そうかそうか。ワシの化石《かせき》コレクションは東京《とうきょう》でも評判《ひょうばん》か」

「それはもう！　私《わたし》たち、いつか宝生《ほうしょう》さんのお屋敷《やしき》に来《き》たいと思《おも》ってたんです」

とびきりの作《つく》り笑顔《えがお》の美希《みき》のうしろで、健太《けんた》が真実《しんじつ》にささやく。

「この人《ひと》が、町《まち》で起《お》きているナゾの地震《じしん》と関係《かんけい》してるかもしれない。真《しん》

スピノサウルス
全長《ぜんちょう》10～18メートル
あったとされる肉食《にくしょく》の恐竜《きょうりゅう》。背中《せなか》に、船《ふね》の帆《ほ》のように見《み》える大《おお》きな突起《とっき》があった。

実《じつ》くん、なんとか証拠《しょうこ》をつかんでよ！」

真実《しんじつ》は、静《しず》かにうなずいた。


「さあ、ここがワシのコレクションルームや。腰《こし》をぬかすんやないで」

宝生《ほうしょう》が扉《とびら》を開《あ》けると、健太《けんた》と美希《みき》は息《いき》をのんだ。

ワニのような口《くち》を開《ひら》いた、巨大《きょだい》なスピノサウルスの全身骨格《ぜんしんこっかく》をはじめ、プテラノドンやトリケラトプスの頭部《とうぶ》の化石《かせき》が並《なら》んでいる。

「うわ〜！　すごい迫力《はくりょく》！」

うなる健太《けんた》に、宝生《ほうしょう》は得意《とくい》げに語《かた》る。

「ワシは毎月《まいつき》、世界中《せかいじゅう》の国《くに》に化石《かせき》の買《か》いつけに行《い》くんや。そこで、これや！と思《おも》った化石《かせき》には金《かね》に糸目《いとめ》をつけへん。必《かなら》ず手《て》に入《い》れてみせる」

真実《しんじつ》はコホンとせきばらいをすると、落《お》ち着《つ》いた声《こえ》で言《い》った。

「おかしいですね。そんなに化石《かせき》が好《す》きなのに、どうして町《まち》の化石《かせき》の発《はっ》掘《くつ》には反対《はんたい》するんですか？」

プテラノドン
翼竜《よくりゅう》（翼《つばさ》を持《も》った大型《おおがた》爬虫類《はちゅうるい》）の一種《いっしゅ》で、翼《つばさ》を広《ひろ》げたときの大《おお》きさは約《やく》9メートルに達《たっ》したとされる。

その言葉《ことば》を聞《き》いた宝生《ほうしょう》から、笑顔《えがお》が消《き》えた。

「ほーお。もしかしてアンタら、博物館《はくぶつかん》の回《まわ》しもんか？」

ギョロリと目《め》をむいて、真実《しんじつ》たちをなめるように見回《みまわ》した。

「まあええ、答《こた》えは簡単《かんたん》や。ここ最近《さいきん》、地震《じしん》が続《つづ》いとるやろ？　地震《じしん》の中《なか》での発掘作業《はっくつさぎょう》はごっつう危険《きけん》や。心配《しんぱい》やろ？　だから反対《はんたい》しとる」

そう言《い》って、宝生《ほうしょう》はニヤリと金歯《きんば》を光《ひか》らせた。

思《おも》わず健太《けんた》が大《おお》きな声《こえ》をあげる。

「その地震《じしん》、あなたが起《お》こしてるんじゃないんですか!?　貴重《きちょう》な恐竜《きょうりゅう》の化石《かせき》を、あとから自分《じぶん》のものにするために」

「わっはっはっ！　面白《おもしろ》いことをいうボウズや。地震《じしん》を起《お》こすなんて、そんなことできるわけないやろ！　それとも何《なに》か？　証拠《しょうこ》でもあるゆうんか!?」

「いや、それは、えーと……」

宝生《ほうしょう》の迫力《はくりょく》に押《お》され、金魚《きんぎょ》のように口《くち》をパクパクさせる健太《けんた》。

トリケラトプス
大型《おおがた》の植物食《しょくぶつしょく》恐竜《きょうりゅう》。頭《あたま》に3本《ぼん》の大《おお》きな角《つの》と、盾《たて》のように上《うえ》に張《は》り出《だ》した襟飾《えりかざ》りがあったことで知《し》られる。

そのとき、グラグラグラ……と、地震《じしん》が起《お》き、コレクションルームが揺《ゆ》れた。

「ほーら。竜神様《りゅうじんさま》がお怒《いか》りや。発掘《はっくつ》はすぐにやめたほうがええ」


恐竜屋敷《きょうりゅうやしき》からの帰《かえ》り道《みち》。

「あ〜あ。宝生《ほうしょう》さんが地震《じしん》を起《お》こしてるって証拠《しょうこ》は結局《けっきょく》、見《み》つからなかったね……」

健太《けんた》が力《ちから》なくつぶやくと、真実《しんじつ》は足《あし》を止《と》めた。

「いや。手《て》がかりは見《み》つけたよ」

「ええっ⁉　一体何《いったいなに》を見《み》つけたの⁉」

「コレクションルームの机《つくえ》の上《うえ》に、発掘現場《はっくつげんば》の山《やま》の地図《ちず》が置《お》かれていた。山頂《さんちょう》の近《ちか》くに赤《あか》い印《しるし》がつけられていたよ。あの人《ひと》は、きっと何《なに》かを隠《かく》してる」


町役場《まちやくば》へ戻《もど》ると、町長《ちょうちょう》の深見《ふかみ》が、智子《ともこ》、江古田《えこた》と話《はなし》をしていた。

「町《まち》の者《もの》の多《おお》くが地震《じしん》におびえとる。やはり発掘《はっくつ》は中止《ちゅうし》にするしかない……」

「そんな……！　きっと、町《まち》の人《ひと》たちの気持《きも》ちは変《か》えられます！」

智子《ともこ》は深見《ふかみ》をまっすぐ見《み》つめ、力強《ちからづよ》く言《い》った。

健太《けんた》は驚《おどろ》いて智子《ともこ》に駆《か》け寄《よ》った。

「気持《きも》ちを変《か》えるって、一体《いったい》どうやって?」

「今《いま》はまだ右足《みぎあし》の化石《かせき》しか見《み》つかってないけど、次《つぎ》の発掘《はっくつ》で、頭部《とうぶ》の化石《かせき》を見《み》つけるの。日本初《にほんはつ》のティラノサウルス類《るい》の頭部《とうぶ》の化石《かせき》を見《み》たら、きっと町《まち》の人《ひと》たちも、その価値《かち》をわかってくれるはずよ」

「でも、どこに埋《う》まっているかわからない頭部《とうぶ》の化石《かせき》を見《み》つけるだなんて、そんなことできるんですか?」

美希《みき》がたずねると、智子《ともこ》はうなずいた。

「できるはずよ。ずっと考《かんが》えてたの」

そう言《い》うと、カバンから発掘現場《はっくつげんば》の見取《みと》り図《ず》を取《と》り出《だ》し、机《つくえ》の上《うえ》に広《ひろ》げた。

「およそ7000万年前《まんねんまえ》、あの山《やま》は海《うみ》の底《そこ》だった。私《わたし》が見《み》つけた右足《みぎあし》の化石《かせき》は、足首《あしくび》、すね、もも……すべてのパーツが近《ちか》くで見《み》つかったの。海《うみ》の底《そこ》に流《なが》された恐竜《きょうりゅう》の死骸《しがい》が、そこでバラバラになる前《まえ》に、土砂《どしゃ》に覆《おお》われて化石《かせき》になったのね。だから、右足《みぎあし》の化石《かせき》から体全体《からだぜんたい》

東《ひがし》←
崖《がけ》
9メートル

の大《おお》きさを推測《すいそく》して、頭《あたま》の位置《いち》を割《わ》り出《だ》せば、頭部《とうぶ》の化石《かせき》が見《み》つかる可能性《かのうせい》は高《たか》いの」

「それが、この場所《ばしょ》……!?」

美希《みき》が、見取《みと》り図《ず》に描《えが》かれた、バツ印《じるし》を指《ゆび》さす。

「ええ。発掘現場《はっくつげんば》の地層《ちそう》は水平《すいへい》だった。つまり、右足《みぎあし》が見《み》つかった場所《ばしょ》から、東《ひがし》に９メートルの場所《ばしょ》……そこに頭《あたま》の化石《かせき》が眠《ねむ》っているはずよ。だからお願《ねが》い。私《わたし》にもう一度《いちど》だけ発掘《はっくつ》のチャンスをください！」

「いや、しかし、町《まち》の人《ひと》たちがどう言《い》うか……」

深見《ふかみ》がハンカチで額《ひたい》の汗《あせ》をぬぐう。

次《つぎ》の瞬間《しゅんかん》、智子《ともこ》の横顔《よこがお》をじっと見《み》つめていた江古田《えこた》が、深見《ふかみ》に向《む》かって頭《あたま》を下《さ》げた。

「私《わたし》からもお願《ねが》いだ！　この子《こ》の頼《たの》みを聞《き》いてやってくれ！」

「江古田《えこた》さん……！」

驚《おどろ》いて智子《ともこ》が顔《かお》をあげる。

「深見《ふかみ》、聞《き》いてくれ。もしも発掘《はっくつ》を続《つづ》けるなら、うちの新聞《しんぶん》の一面《いちめん》で取《と》り上《あ》げよう。見出《みだ》しはこうだ。『夢《ゆめ》を信《しん》じて、太古《たいこ》のロマンに挑《いど》む町《まち》』。どうだ、町《まち》のいい宣伝《せんでん》になると思《おも》うぞ」

「むむむ……！」

深見《ふかみ》は、額《ひたい》から滝《たき》のように流《なが》れ出《で》る汗《あせ》をふくと、パチッ！と、両目《りょうめ》を大《おお》きく見開《みひら》いた。

「……わかった。これが最後《さいご》のチャンスだ。古代《こだい》くん、必《かなら》ずティラノサウルス類《るい》の頭《あたま》の化石《かせき》を見《み》つけてくれよ！」

「ありがとう町長《ちょうちょう》さん！　ありがとう江古田《えこた》さん！」

「いいんだ。私《わたし》にも娘《むすめ》がいてね……。あんたみたいに、自然《しぜん》が好《す》きな子《こ》だった。今《いま》も生《い》きていれば、ちょうど同《おな》じぐらいの年《とし》だったよ」

江古田《えこた》は、少《すこ》しさびしげな顔《かお》をしてほほ笑《え》んだ。

「そうだったんですね……。私《わたし》、娘《むすめ》さんの分《ぶん》までがんばります！」

智子《ともこ》は、真剣《しんけん》な顔《かお》でガッツポーズを作《つく》ってみせた。

真実《しんじつ》は席《せき》を立《た》つと、健太《けんた》と美希《みき》に言《い》った。

「ぼくたちは発掘現場《はっくつげんば》の山《やま》を調《しら》べに行《い》こう。地震《じしん》の秘密《ひみつ》がわかるかもしれない」

山《やま》は夕日《ゆうひ》に照《て》らされていた。

山頂《さんちょう》に向《む》かう斜面《しゃめん》は、大人《おとな》の背丈《せたけ》ほどもある雑草《ざっそう》に覆《おお》われている。

「化石《かせき》コレクター・宝生《ほうしょう》さんの屋敷《やしき》で見《み》た山《やま》の地図《ちず》。あの赤《あか》い印《しるし》のところに何《なに》かあるはずだ」

そう言《い》うと、真実《しんじつ》は深《ふか》い茂《しげ》みの中《なか》に足《あし》を踏《ふ》み入《い》れた。

「よし、行《い》こう！」

健太《けんた》と美希《みき》が後《あと》に続《つづ》く。

きつい斜面《しゃめん》をしばらく登《のぼ》ると、茂《しげ》みが途切《とぎ》れ、視界《しかい》が開《ひら》けた。

川《かわ》が流《なが》れ、そのそばに、体育倉庫《たいいくそうこ》のような小屋《こや》が立《た》っている。

「なんだろう、あれ？」

近《ちか》づいてみると、小屋《こや》から太《ふと》いパイプが伸《の》び、川《かわ》へとつながっている。

「どうやら、川《かわ》の水《みず》を吸《す》い上《あ》げているようだ」

「川《かわ》から水《みず》を……？　一体何《いったいなん》のために？」

健太《けんた》が首《くび》をかしげる。

真実《しんじつ》は小屋《こや》に近《ちか》づき、扉《とびら》にかけられた南京錠《なんきんじょう》に、針金《はりがね》をさしこんだ。

ガチャリと南京錠《なんきんじょう》が外《はず》れる。

扉《とびら》を開《あ》けると……ゴウンゴウンゴウンゴウン。

水《みず》をくみ上《あ》げるポンプが勢《いきお》いよく動《うご》いていた。

川《かわ》から続《つづ》くパイプは、地中《ちちゅう》へとさしこまれ、ゴボゴボと音《おと》を立《た》てている。

「川《かわ》の水《みず》を、地下《ちか》に流《なが》しこんでるみたいね」

装置《そうち》の写真《しゃしん》を撮《と》りながらつぶやく美希《みき》の言葉《ことば》に、ハッとする健太《けんた》。

「智子《ともこ》さんが言《い》ってたよね!? 川《かわ》の水《みず》が減《へ》って、竜神様《りゅうじんさま》の沢《さわ》の水《みず》が枯《か》れたって。もしかしたら、この装置《そうち》のせいじゃない!?」

健太《けんた》の言葉《ことば》に、真実《しんじつ》はうなずいた。

「そうか、わかったよ! これが地震《じしん》の原因《げんいん》だ!」

「ええっ!? いったいどういうこと!?」

そのとき、背後《はいご》から、聞《き》き覚《おぼ》えのある声《こえ》が響《ひび》いた。

「おやおや。こんなところで何《なに》しとるんや?」

振《ふ》り向《む》くと、そこには化石《かせき》コレクターの宝生《ほうしょう》と、部下《ぶか》らしき男《おとこ》たちが立《た》っていた。

真実《しんじつ》は男《おとこ》たちを見渡《みわた》すと、落《お》ち着《つ》いた様子《ようす》で宝生《ほうしょう》の前《まえ》に進《すす》み出《で》た。

「宝生《ほうしょう》さん。地震《じしん》を起《お》こしていたのは、やはりあなただ」

「ほーお。何《なに》を根拠《こんきょ》にそないなことを言《い》う？」

「アメリカで、地下《ちか》に排液《はいえき》を流《なが》し続《つづ》けた結果《けっか》、断層《だんそう》がすべり、小《ちい》さな地《じ》震《しん》が何度《なんど》も起《お》きたという例《れい》がある。※建築業者《けんちくぎょうしゃ》のあなたは、この装置《そうち》を作《つく》って、地下《ちか》に大量《たいりょう》の川《かわ》の水《みず》を流《なが》し、人工的《じんこうてき》に地震《じしん》を起《お》こしていたんだ」

「そういうことか……！」

息《いき》をのむ健太《けんた》。

しかし、宝生《ほうしょう》はニヤリと笑《わら》って肩《かた》をすくめた。

「何《なん》のことやらさっぱりわからんな。これは、山《やま》の地質《ちしつ》を調《しら》べる装置《そうち》や」

※アメリカでは、液体《えきたい》を高圧《こうあつ》で地下《ちか》へ注入《ちゅうにゅう》することで地下資源《ちかしげん》を採《さい》掘《くつ》する手法《しゅほう》がとられている。このとき大量《たいりょう》の地下水《ちかすい》が排出《はいしゅつ》され、それを再《ふたた》び地下《ちか》に戻《もど》すことで地震《じしん》が発生《はっせい》するという。近年《きんねん》、その数《かず》が増《ふ》えたことが指摘《してき》されている。

美希《みき》と健太《けんた》は、宝生《ほうしょう》の前《まえ》に進《すす》み出《で》た。

「証拠《しょうこ》の写真《しゃしん》は撮《と》ったわよ！　いつまでしらばっくれていられるかしら」

「地震《じしん》でみんなをおどかして、発掘《はっくつ》を中止《ちゅうし》にするつもりだったんだね！　でも、もう遅《おそ》いよ！　智子《ともこ》さんが発掘《はっくつ》を続《つづ》けることになったんだ。ティラノサウルス類《るい》の頭《あたま》の化石《かせき》を見《み》つけてみせるって！」

「残念《ざんねん》だけど、化石《かせき》はあなたのものにはならないわよ！」

宝生《ほうしょう》は驚《おどろ》いて目《め》を見開《みひら》いたが、次《つぎ》の瞬間《しゅんかん》、金歯《きんば》を光《ひか》らせて笑《わら》った。

「ほんならこの装置《そうち》は止《と》めよう。けどな、これで化石《かせき》の発掘《はっくつ》が無事《ぶじ》に進《すす》むと思《おも》ったら大間違《おおまちが》いやで」

化石発掘《かせきはっくつ》の日《ひ》の朝《あさ》。

真実《しんじつ》たちが発掘現場《はっくつげんば》に行《い》くと、顔色《かおいろ》を変《か》えた智子《ともこ》が駆《か》け寄《よ》ってきた。

「大変《たいへん》よ！　地層《ちそう》の一部《いちぶ》が掘《ほ》り起《お》こされてるの！」

「なんだって!?」

健太《けんた》は声《こえ》をあげると、智子《ともこ》のあとを追《お》い、崖《がけ》の上《うえ》へと駆《か》け上《あ》がった。

見《み》ると、地層《ちそう》の一部《いちぶ》が深《ふか》く掘《ほ》り起《お》こされ、ポッカリと巨大《きょだい》な穴《あな》が開《あ》いている。

そこは、智子《ともこ》が見取《みと》り図《ず》に、頭部《とうぶ》の化石《かせき》があると記《しる》した場所《ばしょ》だった。

「そんな……大事《だいじ》な化石《かせき》がとられちゃった!?　一体誰《いったいだれ》が……!?」

息《いき》をのむ健太《けんた》の背後《はいご》で笑《わら》い声《ごえ》がした。

振《ふ》り向《む》くと、そこには化石《かせき》コレクターの宝生《ほうしょう》と、先日見《せんじつみ》かけた部下《ぶか》たちの姿《すがた》があった。

「フッフッフ……。地震《じしん》で崖《がけ》が崩《くず》れそうやったから、ワシらがショベルカーで地層《ちそう》を削《けず》ってあげたんや。削《けず》った地層《ちそう》は、危《あぶ》ないから屋敷《やしき》に持《も》ち帰《かえ》らしてもらったで」

智子《ともこ》の顔《かお》が怒《いか》りで赤《あか》く染《そ》まっていく。

「返《かえ》して！　私《わたし》たちの化石《かせき》を……！　この町《まち》の化石《かせき》を返《かえ》して！」

そのとき、真実《しんじつ》が何《なに》かに気《き》づいた。

穴《あな》から離《はな》れた場所《ばしょ》に、不思議《ふしぎ》な形《かたち》の石《いし》がいくつも落《お》ちていたのだ。

手《て》に取《と》ると、ねじれたバネのような形《かたち》をしている。

「これは……ニッポニテスという、アンモナイトの仲間《なかま》の化石《かせき》だ」

「フン。それがどないした。貝《かい》の化石《かせき》なんかそこら中《じゅう》にあるわ」

鼻《はな》で笑《わら》う宝生《ほうしょう》を、真実《しんじつ》はまっすぐに見《み》つめた。

「いや。この化石《かせき》がこの場所《ばしょ》で見《み》つかったことには、大《おお》きな意味《いみ》がある」

「一体《いったい》どういうことなの？　真実《しんじつ》くん」

健太《けんた》が首《くび》をかしげると、真実《しんじつ》は身《み》をひるがえし、崖《がけ》を駆《か》け下《お》りた。

「ニッポニテスは、ティラノサウルス類《るい》と同《おな》じ、白亜紀《はくあき》の後期《こうき》に生《い》きていた生《い》き物《もの》だ。つまり、この化石《かせき》は、智子《ともこ》さんが見《み》つけた恐竜《きょうりゅう》の化石《かせき》と同《おな》じ地層《ちそう》にあったと考《かんが》えられる」

すると智子《ともこ》が、崖《がけ》の地層《ちそう》を見上《みあ》げて言《い》った。

「でも見《み》て。この崖《がけ》の地層《ちそう》は水平《すいへい》に重《かさ》なっているわ。白亜紀後期《はくあきこうき》の地層《ちそう》は、ほかの年代《ねんだい》の地層《ちそう》にはさまれているのよ。それなのに、ニッポニテスの化石《かせき》は、一体《いったい》どうやって崖《がけ》の上《うえ》に出《で》てきたの？」

「目《め》に見《み》えるものがすべて正《ただ》しいとは限《かぎ》りません。この崖《がけ》の地層《ちそう》は、水《すい》

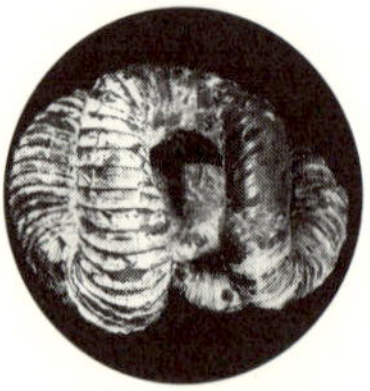

ニッポニテス
古代《こだい》の巻貝《まきがい》であるアンモナイトの一種《いっしゅ》。ヘビがとぐろを巻《ま》いたような、不思議《ふしぎ》な形状《けいじょう》をしている。日本古生物学《にっぽんこせいぶつがっ》会《かい》のシンボルマークに採用《さいよう》され、ニッポニテスの化石《かせき》が発見《はっけん》された10月《がつ》15日《にち》は「化石《かせき》の日《ひ》」となっている。

平《へい》に見《み》えるけれど、実《じつ》は水平《すいへい》じゃない。そして、ぼくの推理《すいり》が正《ただ》しければ、ティラノサウルス類《るい》の頭部《とうぶ》の化石《かせき》は、まだ、この崖《がけ》に残《のこ》されているはずです」

「なんやと!?」

宝生《ほうしょう》の顔色《かおいろ》が変《か》わった。

〝水平《すいへい》に見《み》えるが、水平《すいへい》ではない地層《ちそう》〟とは、どういうことなのか？

地層《ちそう》は大《おお》きな
力《ちから》を受《う》けると
どうなるだろう？

解《かい》決《けつ》編《へん》

「水平《すいへい》に見《み》えるけど、水平《すいへい》じゃない地層《ちそう》って、一体《いったい》どういうこと!?」

頭《あたま》をかかえる健太《けんた》を見《み》て、真実《しんじつ》はほほ笑《え》んだ。

「健太《けんた》くん、お昼《ひる》にフルーツサンドを持《も》ってきていたね。それで説明《せつめい》しよう」

真実《しんじつ》は、健太《けんた》のフルーツサンドを水平《すいへい》に持《も》って、みんなに見《み》せた。

「この場所《ばしょ》から見《み》える地層《ちそう》は、こんなふうに水平《すいへい》だ。でも本当《ほんとう》は……」

フルーツサンドを、シーソーのようにななめに傾《かたむ》ける。

「こんなふうに傾《かたむ》いていたんだ。❷ ぼくたちが見《み》ていたのは、地層《ちそう》のこの部分《ぶぶん》さ」

真実《しんじつ》は、フルーツサンドの横《よこ》の部分《ぶぶん》を指《ゆび》さした。

「あっ！　フルーツサンドを横《よこ》から見《み》ると、水平《すいへい》のままだ！」

驚《おどろ》きの声《こえ》をあげる健太《けんた》。美希《みき》も大《おお》きくうなずいた。

「なるほど！　ここは地層《ちそう》の端《はし》っこだったのね。でも、ほんとは崖《がけ》の奥《おく》に向《む》かって地層《ちそう》が傾《かたむ》いていた。だから、崖《がけ》の上《うえ》に地層《ちそう》の断面《だんめん》が現《あらわ》れて、ニッポニテスの化石《かせき》が落《お》ちていたのね」

化石《かせき》コレクターの宝生《ほうしょう》がイライラと叫《さけ》ぶ。

「だからなんや!?　地層《ちそう》がななめだと、どうして恐竜《きょうりゅう》の頭《あたま》の化石《かせき》が、まだ崖《がけ》に残《のこ》ってるなん

2 …地層《ちそう》をイチゴサンドに例《たと》えると

1. イチゴサンドが水平《すいへい》の場合《ばあい》

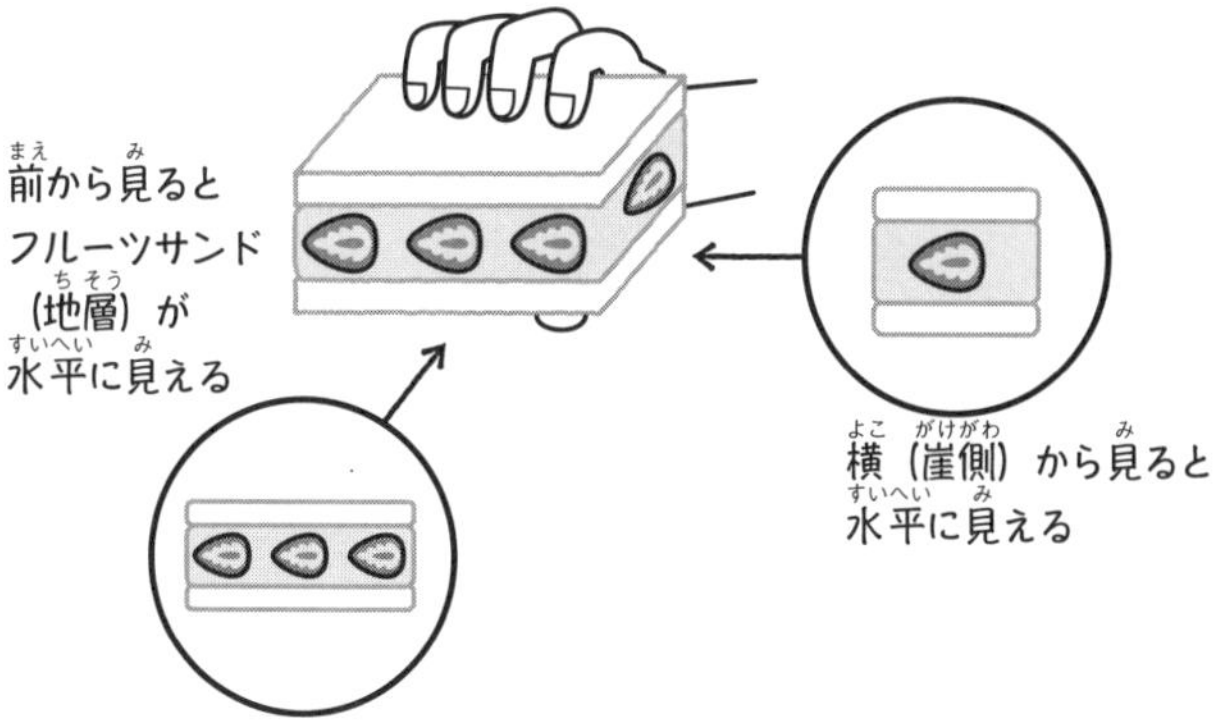

2. イチゴサンドが傾《かたむ》いていた場合《ばあい》

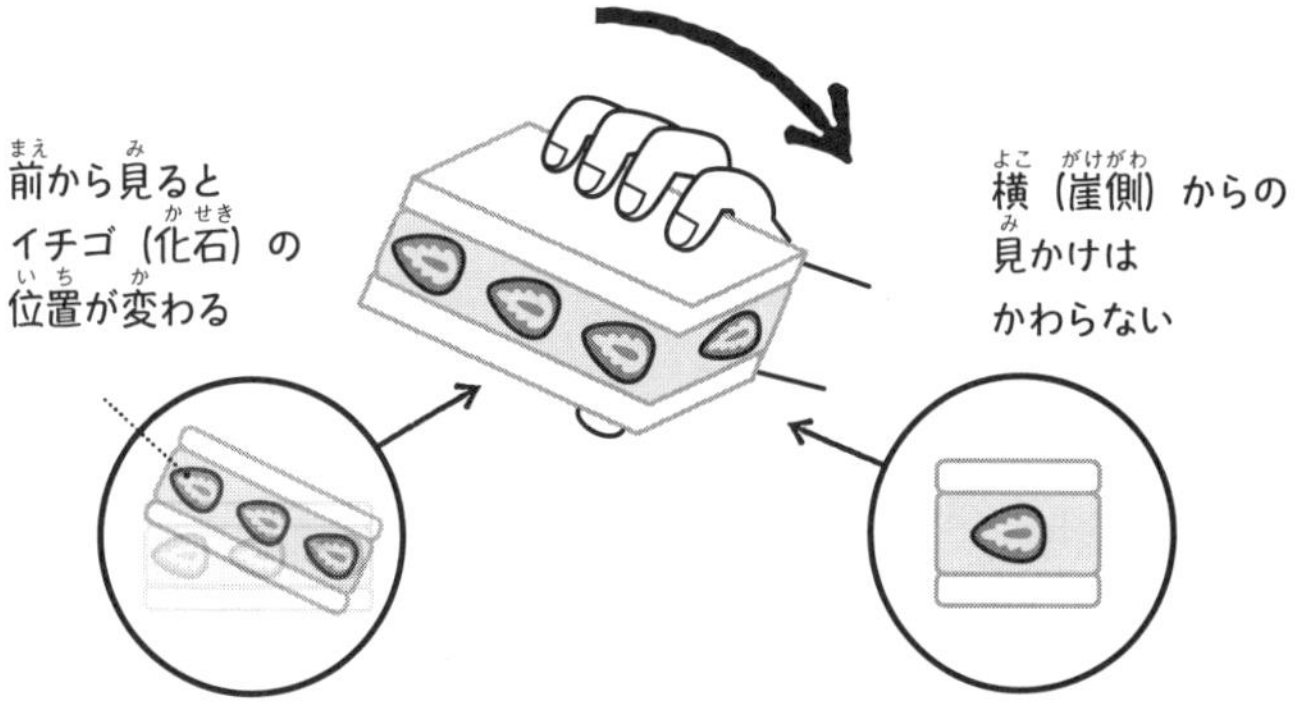

イチゴサンドと違《ちが》い地層《ちそう》は、2つに割《わ》って
前《まえ》から断面《だんめん》を見《み》ることができないので、傾《かたむ》きの予想《よそう》は難《むずか》しい。

て言えるんや！」

真実はやれやれと肩をすくめると、フルーツサンドを水平に戻した。

「このイチゴを、ティラノサウルス類の頭部の化石だとしよう。地層が地面と水平だとしたら、化石《かせき》の場所《ばしょ》はここだ。だからあなたは、ここに穴《あな》を掘《ほ》った」

そう言《い》って真実《しんじつ》は、イチゴの前《まえ》に人《ひと》さし指《ゆび》を立《た》て、イチゴを隠《かく》した。

「しかし、実際《じっさい》の地層《ちそう》は、ななめに傾《かたむ》いていた」

再《ふた》び、シーソーのようにフルーツサンドを傾《かたむ》ける真実《しんじつ》。

すると、指《ゆび》で隠《かく》れていたイチゴが、指先《ゆびさき》から姿《すがた》を現《あらわ》した。

「ほらね。地層《ちそう》が傾《かたむ》けば、化石《かせき》が埋《う》まっている場所《ばしょ》も変《か》わる。あなたは、地層《ちそう》は水平《すいへい》だと思《おも》い、間違《まちが》った場所《ばしょ》を掘《ほ》っていたんだ」

「じゃあ、頭《あたま》の化石《かせき》は、まだこの地層《ちそう》の中《なか》に残《のこ》ってるんだね⁉」

健太《けんた》が聞《き》くと、真実《しんじつ》はうなずいた。

「ああ。間違《まちが》いない」

「ぬぬぬう～！　おまえら～！　覚《おぼ》えとけよ！」

宝生《ほうしょう》はギリギリと歯《は》ぎしりすると、部下《ぶか》を引《ひ》き連《つ》れ、去《さ》っていった。


それから数時間後《すうじかんご》、発掘現場《はっくつげんば》に智子《ともこ》の明《あか》るい声《こえ》が響《ひび》いた。

「あったわ！　間違《まちが》いない！　ティラノサウルス類《るい》の頭部《とうぶ》の化石《かせき》よ！」

智子《ともこ》は真実《しんじつ》を振《ふ》り返《かえ》り、笑顔《えがお》で手《て》を振《ふ》った。

「ありがとう真実《しんじつ》くん、みんな！　あなたたちのおかげよ！」

真実《しんじつ》はほほ笑《え》み、やさしくうなずいた。

健太《けんた》は、周《まわ》りの山《やま》を見渡《みわた》しながら美希《みき》に言《い》う。

「山《やま》で見《み》つけた装置《そうち》を止《と》めてから、地震《じしん》もおさまったね！」

「ええ。きっと、川《かわ》の水《みず》も、竜神様《りゅうじんさま》の沢《さわ》も、もうすぐ元《もと》に戻《もど》るはずだわ」

「よおし！　今日《きょう》はみんなにソースカツ丼《どん》をおごるぞ～！」

江古田《えこた》が大《おお》きな声《こえ》で叫《さけ》ぶと、みんなから歓声《かんせい》があがった。

3…恐竜《きょうりゅう》の頭《あたま》はここにあった！

地層《ちそう》は崖《がけ》から奥《おく》に向《む》かって傾《かたむ》いていたが
水平《すいへい》だと思《おも》い込《こ》んでいたため
気《き》づかなかった。

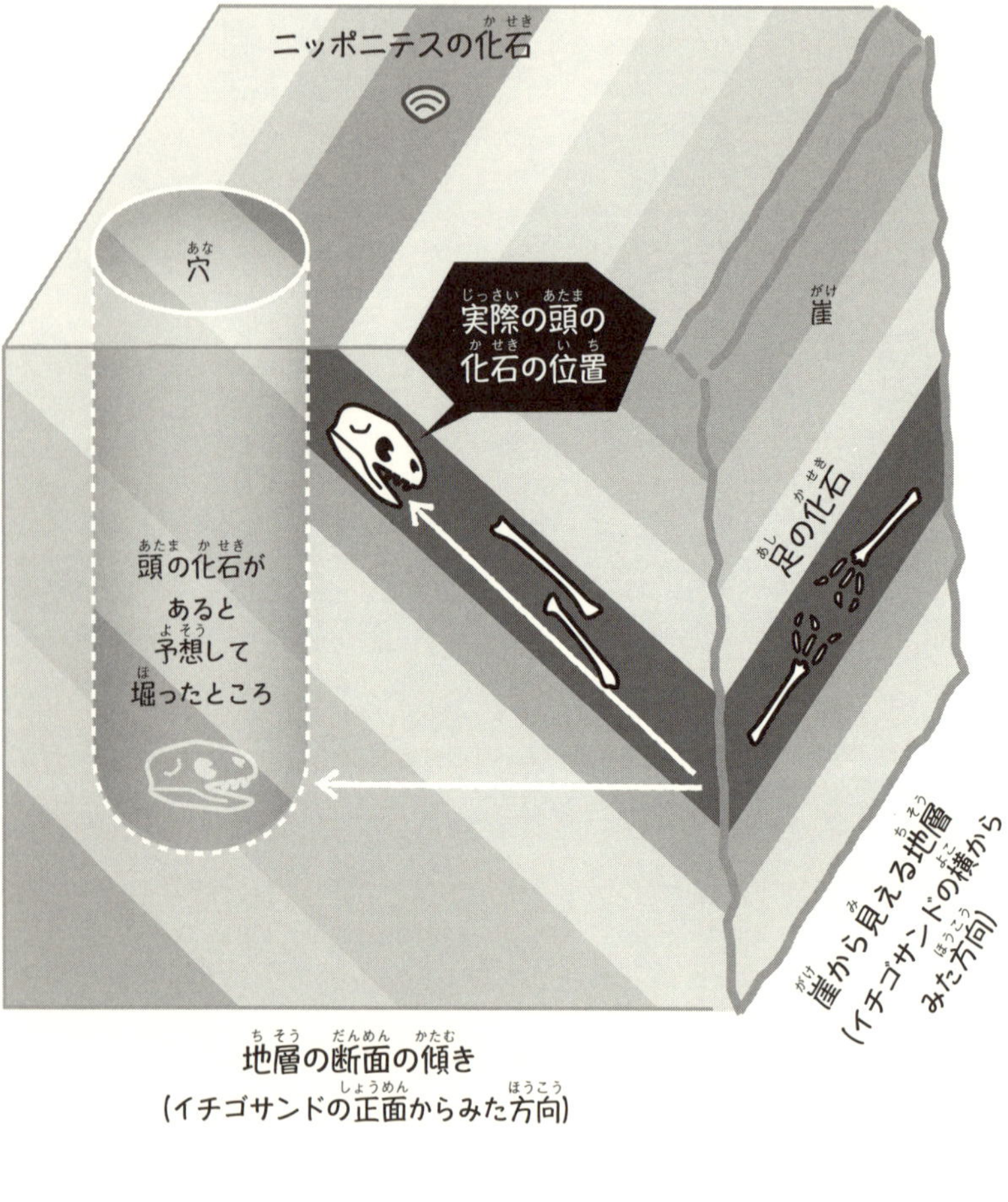

3

SCIENCE TRICK DATA FILE

科学《かがく》トリック データファイル

ティラノサウルス、日本《にほん》にもいた

ティラノサウルスといえば、中生《ちゅうせい》代《だい》（2億《おく》5200万年《まんねん》〜6600万《まん》年《ねん》ほど前《まえ》）に栄《さか》えた恐竜《きょうりゅう》のなかでももっとも有名《ゆうめい》な種類《しゅるい》でしょう。史上最大級《しじょうさいだいきゅう》の肉食恐竜《にくしょくきょうりゅう》というイメージがありますが、それは

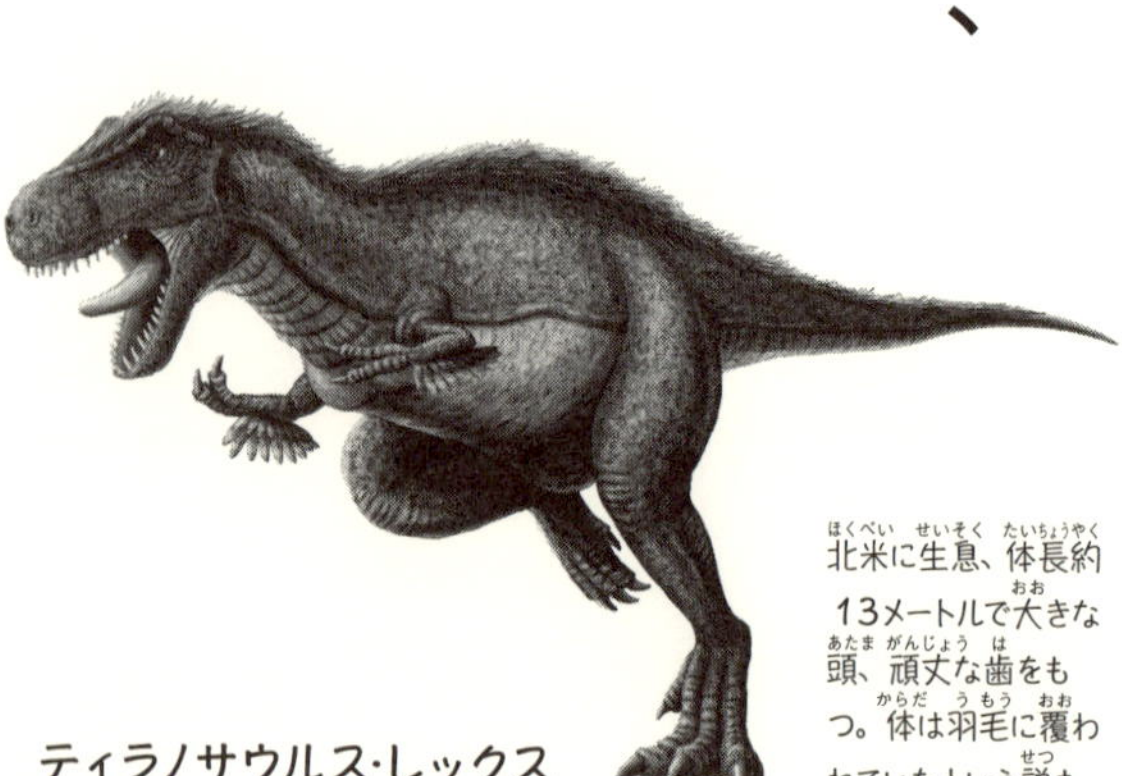

北米《ほくべい》に生息《せいそく》、体長約《たいちょうやく》13メートルで大《おお》きな頭《あたま》、頑丈《がんじょう》な歯《は》をもつ。体《からだ》は羽毛《うもう》に覆《おお》われていたという説《せつ》も

ティラノサウルス・レックス

「ティラノサウルス・レックス」（T《ティー》レックス）という、ティラノサウルスの仲間《なかま》の一種《いっしゅ》。実《じつ》はティラノサウルスの仲間《なかま》はほかにもたくさんいて、日本《にほん》でも化石《かせき》が見《み》つかっているのです。その多《おお》くは残《ざん》念《ねん》ながらT《ティー》レックスのような大型《おおがた》恐竜《きょうりゅう》ではないですが、2015年《ねん》に長崎市《ながさきし》で見《み》つかった化石《かせき》は大型種《おおがたしゅ》のものとされています。

福井県《ふくいけん》などで
歯《は》の化石《かせき》が
見《み》つかっているよ

タルボサウルス

T《ティー》レックスによく似《に》たティラノサウルスの仲間《なかま》。アジアに生息《せいそく》し、体長《たいちょう》約《やく》12メートル。アジア最大級《さいだいきゅう》の肉食恐竜《にくしょくきょうりゅう》

毎朝新聞

すると今回の化石の
は世界的《せかいてき》に見《み》てもかなり

町《ちょう》
長も喜ん

文化

解決《いけつ》！
超常現象《ちょうじょうげんしょう》ハンター

化石《かせき》コレクターの宝《ほう》生《しょう》 集造《しゅうぞう》さん（52）が、古代智子《こだいともこ》さん（26）の見《み》つけたティラノサウルス類《るい》の化石《かせき》を横取《よこど》りしようと地震騒《じしんさわ》ぎを起《お》こしていたのが、事件《じけん》の真相《しんそう》だった。

実《じつ》は、化石《かせき》の発掘《はっくつ》でたびたび話題《わだい》になってきたのが、「発掘《はっくつ》した化石《かせき》は誰《だれ》のもの？」という問題《もんだい》。

アメリカでは、発掘《はっくつ》したティラノサウルスの化石《かせき》をめぐって、発見者《はっけんしゃ》と、土地《とち》の所有者《しょゆうしゃ》が裁判《さいばん》で争《あらそ》ったことも。結果《けっか》は、土地《とち》の所有者《しょゆうしゃ》が化石《かせき》の持《も》ち主《ぬし》と認《みと》められたそう。

第三回《だいさんかい》 発掘《はっくつ》した化石《かせき》は誰《だれ》のもの!?

一方《いっぽう》、日本《にほん》では、これまでは「化石《かせき》は見《み》つけた人《ひと》のもの」という考《かんが》え方《かた》が主流《しゅりゅう》だった。しかし近《きん》年《ねん》では、「化石《かせき》は、その土地《とち》の大切《たいせつ》な財産《ざいさん》」という考《かんが》え方《かた》が広《ひろ》まり、「重《じゅう》要《よう》な化石《かせき》が発見《はっけん》されたら、市《し》や町《まち》のものとして保護《ほご》する」というルールが各地《かくち》で作《つく》られている。

宝生《ほうしょう》さんの恐竜《きょうりゅう》コレクションは大丈夫《だいじょうぶ》だろうか

そのうえ
廃水《はいすい》を流《なが》
なり、
ること
こまら
させて
かわ
わけ

ひとくちグルメMEMO《メモ》

福井県《ふくいけん》に来《き》た人《ひと》が「これがかつ丼《どん》!?」とおどろく「ソースかつ丼《どん》」。カツを卵《たまご》でとじずに、あげたてのカツの上《うえ》には濃厚《のうこう》ソースがたっぷり！ ひっでもんに（とても）うんめぇ！（M・A）

見《み》て見《み》て！　智子《ともこ》さんが山《やま》で見《み》つけた「ノジュール」っていう丸《まる》い石《いし》、
ぼくも帰《かえ》りに河原《かわら》で見《み》つけてきたよ！

すごいたくさん！　けっこう簡単《かんたん》に見《み》つけられるものなのね！
私《わたし》、ハンマー持《も》ってきたからどんどん割《わ》りましょ！　化石《かせき》が見《み》つかるかも！

でもどうして、ノジュールの中《なか》には化石《かせき》が入《はい》ってることがあるのかな？

ノジュールは、死《し》んだ生《い》き物《もの》などが材料《ざいりょう》になっているらしいよ。
死《し》んだ生《い》き物《もの》に含《ふく》まれる「炭素《たんそ》」と、海水《かいすい》が化学反応《かがくはんのう》を起《お》こして
「炭酸《たんさん》カルシウム」が作《つく》られる。
それが材料《ざいりょう》になってできるかたまりがノジュールなんだ。

なるほど。それじゃあ、割《わ》ってみるわよ!!　えいっ!!
あっ！　何《なに》かの化石《かせき》が……　キャー！　ゴキブリ!?　助《たす》けて～!!

美希《みき》ちゃ～ん！　待《ま》って～!!　これは三葉虫《さんようちゅう》だよ～！

恐竜《きょうりゅう》の化石《かせき》は、
みんなの身近《みぢか》にもあるかもしれないねえ。
キミも大発見《だいはっけん》できるかも!?

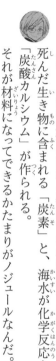

武《ぶ》家《け》屋《や》敷《しき》のポルターガイスト

超《ちょう》・自《し》然《ぜん》現《げん》象《しょう》 4

花《はな》森《もり》町《ちょう》

ミシッ、ミシッ、ミシッ……天井裏《てんじょううら》から、足音《あしおと》が聞《き》こえる。

ガタン！　大《おお》きな物音《ものおと》も響《ひび》き渡《わた》った。

（……また始《はじ》まった）

高校生《こうこうせい》の金倉亜理紗《かねくらありさ》は、布団《ふとん》をすっぽり頭《あたま》までかぶり、心《こころ》の中《なか》でつぶやく。

（誰《だれ》か……誰《だれ》か助《たす》けて……この家《いえ》には悪霊《あくりょう》が……）

亜理紗《ありさ》はギュッと目《め》をつぶり、布団《ふとん》の中《なか》でガタガタと震《ふる》えた。

やがて音《おと》がやみ、部屋《へや》の中《なか》はシンと静《しず》まり返《かえ》る。

布団《ふとん》から顔《かお》を半分《はんぶん》だけ出《だ》して、おそるおそる天井《てんじょう》を見上《みあ》げる亜理紗《ありさ》。

そこには、黒《くろ》い、不気味《ぶきみ》なシミが広《ひろ》がっていた。


「武家屋敷《ぶけやしき》でポルターガイスト!?」

「うん、そうなの。昨日《きのう》、江古田《えこた》さんからこんなメールが来《き》てね」

美希《みき》はタブレットを開《ひら》き、健太《けんた》と真実《しんじつ》に依頼《いらい》のメールを見《み》せる。

花森町《はなもりちょう》にある武家屋敷《ぶけやしき》ふうの豪邸《ごうてい》で毎晩《まいばん》、怪音《かいおん》が聞《き》こえているらしい。住人《じゅうにん》はポルターガイスト現象《げんしょう》だといっておびえているようだ。キミたちで調《しら》べてきてくれないか

「今回《こんかい》は、ぼくたちの花森町《はなもりちょう》で事件《じけん》が起《お》きてるの!? それは大変《たいへん》だ!」

真実《しんじつ》、健太《けんた》、美希《みき》は、休日《きゅうじつ》に待《ま》ち合《あ》わせて調査《ちょうさ》に向《む》かうことになった。

屋敷《やしき》は、花森川《はなもりがわ》の上流《じょうりゅう》付近《ふきん》にあるという。

3人《にん》は、川沿《かわぞ》いの道《みち》を歩《ある》き始《はじ》めた。

「こういうところを歩《ある》いていると、ハマセンに会《あ》いそうね」

歩《ある》きながら、美希《みき》がつぶやく。「え、なんで?」と、問《と》い返《かえ》す健太《けんた》。

「最近《さいきん》、ハマセンは、釣《つ》りにハマッているみたいなの。ごはんのおかずを自分《じぶん》で釣《つ》って節約《せつやく》しようと思《おも》ったらしいんだけど、釣《つ》り道具《どうぐ》に凝《こ》りだして、おばあちゃんに借金《しゃっきん》したんだって」

「へえ、じゃあ、なんのために釣《つ》りしてんだか、わかんないね」

ポルターガイスト現象《げんしょう》
心霊現象《しんれいげんしょう》の一種《いっしゅ》で、ポルターガイストとはドイツ語《ご》で「騒《さわ》がしい霊《れい》」の意味《いみ》。突然《とつぜん》ものが動《うご》いたり、大《おお》きな音《おと》がしたりする。

健太《けんた》と美希《みき》がそんな話《はなし》をしていたとき、一方《いっぽう》から聞《き》き覚《おぼ》えのある叫《さけ》び声《ごえ》が聞《き》こえてきた。

「うわあ、ワニだ――っ!!」

声《こえ》の主《ぬし》は、ハマセンこと花森小学校《はなもりしょうがっこう》の体育教師《たいいくきょうし》、浜田典夫《はまだのりお》。美希《みき》の予想《よそう》どおり、花森川《はなもりがわ》に釣《つ》りをしに来《き》ていたようだ。

見《み》ると、ハマセンの釣《つ》り糸《いと》の先《さき》には、体長《たいちょう》2メートルほどもあるワニのような生《い》き物《もの》がぶらさがり、のたうっている。

「に、日本《にほん》にワニがいたの!?」

「なんとかしてくれぇ〜〜!!」

「わあ、先生《せんせい》、こっちこないで!」

健太《けんた》もパニックを起《お》こし、ハマセンとともに大騒《おおさわ》ぎを始《はじ》めた。

「これは、アリゲーターガーという魚《さかな》です」

そのとき、真実《しんじつ》が冷静《れいせい》な顔《かお》で言《い》った。

「北《きた》アメリカ大陸《たいりく》にすむ魚《さかな》で、もともと日本《にほん》にはいない外来生物《がいらいせいぶつ》です

アリゲーターガー

北米原産《ほくべいげんさん》の肉食魚《にくしょくぎょ》で、ワニのような長《なが》い口《くち》と鋭《するど》い歯《は》が特徴《とくちょう》。成魚《せいぎょ》は体長《たいちょう》1〜3メートルにもなる。ペットとして飼《か》われていたアリゲーターガーが放流《ほうりゅう》されたことで、近年日本国内《きんねんにほんこくない》の川《かわ》などで生息《せいそく》が確認《かくにん》されている。

よ。誰《だれ》かがペットとして飼《か》っていたものを飼《か》いきれなくなり、川《かわ》に捨《す》てたんでしょう」

「こんな危《あぶ》なそうな魚《さかな》を、しかも外来生物《がいらいせいぶつ》を、川《かわ》に捨《す》てるなんて無責任《むせきにん》よね！」

憤《いきどお》る美希《みき》の横《よこ》で、真実《しんじつ》もうなずく。

「先生《せんせい》、この魚《さかな》を川《かわ》に戻《もど》したら、これまで花森川《はなもりがわ》で暮《く》らしてきた魚《さかな》にとってはとても迷惑《めいわく》な存在《そんざい》になってしまいます」

「そうだよな。こいつ、なんとかしなきゃいけないな……。まあ、オレが処理《しょり》しておくから、みんなはもう行《い》っていいぞ」

ハマセンはそう言《い》って、３人《にん》をうながす。

（処理《しょり》するって……どうするんだろう？　食《た》べるのかな？）

健太《けんた》は気《き》になったものの、真実《しんじつ》や美希《みき》のあとに従《したが》い、再《ふたた》び歩《ある》き始《はじ》める。

しばらく歩《ある》いていくと、目《め》の前《まえ》に武家屋敷風《ぶけやしきふう》の豪邸《ごうてい》が見《み》えてきた。

外来生物《がいらいせいぶつ》、外来種《がいらいしゅ》
外来生物《がいらいせいぶつ》は、海外《かいがい》から日本《にほん》に人間《にんげん》の活動《かつどう》によって持《も》ち込《こ》まれ、本来《ほんらい》の生息地《せいそくち》以外《いがい》に生息《せいそく》することになった生物《せいぶつ》のこと。外来種《がいらいしゅ》は、日本国内《にほんこくない》で人間《にんげん》の活動《かつどう》により自然分布域《しぜんぶんぷいき》の外《そと》に生息《せいそく》するようになった動物《どうぶつ》も含《ふく》む。外来生物《がいらいせいぶつ》を引《ひ》き取《と》るＮＰＯ法人《ほうじん》などもある。

「着《つ》いたわ。ここがその、ポルターガイスト現象《げんしょう》が起《お》きているというお屋敷《やしき》よ」

美希《みき》が指《ゆび》をさす。

「すんごい立派《りっぱ》なお屋敷《やしき》だね～！」

健太《けんた》は、目《め》を丸《まる》くした。

怪奇現象《かいきげんしょう》が起《お》きている金倉家《かねくらけ》は、花森町《はなもりちょう》でも有数《ゆうすう》の資産家《しさんか》の家《いえ》だったのだ。

「夜中《よなか》に天井裏《てんじょううら》で、ミシミシという不気味《ぶきみ》な足音《あしおと》や物音《ものおと》がするんです。それも毎晩《まいばん》……」

真実《しんじつ》、健太《けんた》、美希《みき》を屋敷《やしき》に迎《むか》え入《い》れた金倉亜理紗《かねくらありさ》は、そう話《はな》し始《はじ》めた。

亜理紗《ありさ》は、高校生《こうこうせい》くらいの、髪《かみ》の長《なが》い女《おんな》の子《こ》。金倉家《かねくらけ》で起《お》きている不可思議《ふかしぎ》な現象《げんしょう》のことを手紙《てがみ》に書《か》いて新聞社《しんぶんしゃ》に送《おく》ったのは、彼女《かのじょ》だった。

「それと、仏壇《ぶつだん》に供《そな》えられていたおまんじゅうや果物《くだもの》が、翌朝見《よくあさみ》るとなくなっていたりもして……」

亜理紗《ありさ》のかたわらにいた祖父《そふ》の金倉建造《かねくらけんぞう》がそのとき、激《はげ》しくせきこんだ。

「祖父《そふ》をはじめ家族全員《かぞくぜんいん》に、原因不明《げんいんふめい》の鼻炎《びえん》やぜんそくのような症状《しょうじょう》も出《で》ていて、みんな体《たい》

調《ちょう》を崩《くず》しているんです。でも、いちばん恐《おそ》ろしいのは……」

亜理紗《ありさ》は、３人《にん》を自分《じぶん》の部屋《へや》に案内《あんない》した。

健太《けんた》は「あっ！」と、息《いき》をのむ。

天井《てんじょう》いっぱいに、黒々《くろぐろ》としたシミが広《ひろ》がっていたのだった。

「最初《さいしょ》は小《ちい》さなシミだったんです。それがだんだん大《おお》きくなって、今《いま》ではあんなに……。あのシミがこの家《いえ》に巣《す》くう悪霊《あくりょう》そのもののように思《おも》えて、私《わたし》、怖《こわ》くてたまりません……」

亜理紗《ありさ》は、声《こえ》を震《ふる》わせる。

「そうなった原因《げんいん》に何《なに》か心当《こころあ》たりはありますか？」

美希《みき》がたずねると、亜理紗《ありさ》は言《い》いにくそうに切《き》り出《だ》す。

「私《わたし》の父《ちち》は不動産業《ふどうさんぎょう》を営《いとな》んでいるのですが……。実《じつ》は1カ月前《げつまえ》、マンション建設《けんせつ》の邪魔《じゃま》になるからと、その土地《とち》に立《た》っていた慰霊碑《いれいひ》を撤去《てっきょ》してしまったんです」

「ええっ!?」

慰霊碑《いれいひ》
戦争《せんそう》や事故《じこ》、災害《さいがい》などで亡《な》くなった人《ひと》や動物《どうぶつ》の霊《れい》を慰《なぐさ》めるために建《た》てられた石碑《せきひ》。

「慰霊碑《いれいひ》は、洪水《こうずい》で亡《な》くなった方々《かたがた》の霊《れい》を慰《なぐさ》めるために建《た》てられたもので……それからなんです。この家《いえ》で怪奇現象《かいきげんしょう》が起《お》きるようになったのは……」

「やっぱり霊《れい》のしわざなのかしら……？」

美希《みき》がつぶやいたそのとき、背後《はいご》から、突然声《とつぜんこえ》が聞《き》こえてきた。

「そのとおりだ！　この家《いえ》は呪《のろ》われている！」

振《ふ》り向《む》くと、そこには、健太《けんた》たちと同《おな》じ年《とし》ごろの少年《しょうねん》が立《た》っていた。

「悦二《えつじ》、何《なに》を言《い》いだすの！」

亜理紗《ありさ》がとがめるように声《こえ》をかける。少年《しょうねん》の名《な》は悦二《えつじ》——亜理紗《ありさ》の弟《おとうと》らしい。

「おまえら、とっととこの家《いえ》から出《で》てけ！　呪《のろ》われたくなければ二度《にど》とこの家《いえ》に近《ちか》づくな！」

悦二《えつじ》は、3人《にん》をにらみながらそう叫《さけ》ぶと、バタバタと走《はし》り去《さ》っていった。

「やっぱり、この家《いえ》で起《お》きている現象《げんしょう》は、本物《ほんもの》の心霊現象《しんれいげんしょう》じゃないのかなあ……」

健太《けんた》が、おびえた顔《かお》でつぶやく。

ポルターガイスト現象《げんしょう》が起《お》きるのは、おもに夜中《よなか》だという。

真実《しんじつ》、健太《けんた》、美希《みき》は、金倉家《かねくらけ》に一晩《ひとばん》、泊《と》まり込《こ》んで原因《げんいん》を探《さぐ》ることにした。

夜《よる》がやってきた。

亜理紗《ありさ》は、3人《にん》に夕飯《ゆうはん》をごちそうし、泊《と》まるための部屋《へや》も用意《ようい》してくれた。

金倉家《かねくらけ》の一室《いっしつ》で3人《にん》が聞《き》き耳《みみ》を立《た》てていると、天井裏《てんじょううら》からミシミシと、足音《あしおと》が聞《き》こえてきた。さらに、ガタンという、大《おお》きな物音《ものおと》もする。

「始《はじ》まった！　ポルターガイスト現象《げんしょう》だ！」

健太《けんた》は叫《さけ》び、首《くび》から下《さ》げた数個《すうこ》のお守《まも》りの一《ひと》つをギュッとにぎりしめた。

しばらくしてあたりは静《しず》かになる。健太《けんた》は、天井《てんじょう》を見上《みあ》げながら言《い》った。

「ねえ、なんか変《へん》な臭《にお》いしない？　亜理紗《ありさ》さんがいたんで言《い》い出《だ》せなかったんだけど、この家《いえ》に足《あし》を踏《ふ》み入《い》れたときから気《き》になってたんだ」

その言葉《ことば》に、美希《みき》もうなずく。

「実《じつ》は、私《わたし》も気《き》になってたの。この屋敷《やしき》には、異臭《いしゅう》が漂《ただよ》っている。霊《れい》のいる証拠《しょうこ》だわ！　霊《れい》臭《しゅう》といって、悪霊《あくりょう》のいる場所《ばしょ》では、生《なま》ぐさい臭《にお》いがすることがよくあるのよ！」

健太《けんた》は、身《み》を凍《こお》らせた。ところが、真実《しんじつ》はというと……。

「たしかに、この家《いえ》の天井裏《てんじょううら》には、何《なに》か潜《ひそ》んでいるようだね。今夜《こんや》はゆっくり休《やす》んで、明《あ》日《す》の朝《あさ》、調《しら》べてみよう」

それだけ言《い》うと、布団《ふとん》を敷《し》いて横《よこ》になり、スヤスヤと寝《ね》てしまったのだ。

真実《しんじつ》のマイペースさに、驚《おどろ》く健太《けんた》。

美希《みき》も自分《じぶん》の寝《ね》る部屋《へや》に行《い》ってしまい、健太《けんた》はなんだか取《と》り残《のこ》されたような気持《きも》ちになる。怖《こわ》いので早《はや》く寝《ね》てしまいたかったが、なかなか寝《ね》つけなかった。

深夜《しんや》、トイレをがまんできなくなり、健太《けんた》は布団《ふとん》からはいだす。

廊下《ろうか》の突《つ》き当《あ》たりにあるトイレで用《よう》を足《た》し、部屋《へや》に戻《もど》ろうとしたとき、目《め》の先《さき》にぽつんと人影《ひとかげ》が見《み》えた。

人影《ひとかげ》は、悦二《えつじ》だった。暗《くら》いのでよくわからないが、丸《まる》い大《おお》きな何《なに》かを抱《かか》えている。悦二《えつじ》は、庭《にわ》に面《めん》したガラス戸《ど》を開《あ》けると、そのまま庭《にわ》へ出《で》ていった。

（こんな夜中《よなか》にどこへ行《い》くんだろう？）

怖《こわ》かったが、好奇心《こうきしん》をおさえきれず、健太《けんた》は、悦二《えつじ》のあとをつけ、庭《にわ》に出《で》た。

しかし、あたりは真《ま》っ暗《くら》で、悦二《えつじ》がどこにいるのかさえわからなかった。

そのとき、雲《くも》のあいだから月《つき》が現《あらわ》れ、庭《にわ》を照《て》らしだした。

庭《にわ》の一角《いっかく》にしゃがみこんでいた悦二《えつじ》を見《み》て、健太《けんた》は「あっ!」と息《いき》をのむ。悦二《えつじ》は立《た》ち上《あ》がってこちらを振《ふ》り返《かえ》り、怖《こわ》い目《め》で健太《けんた》をにらみながら言《い》った。

「オレの秘密《ひみつ》……誰《だれ》にも話《はな》すなよ」

「真実《しんじつ》くん! 真実《しんじつ》くん! ねえ、起《お》きて!」

部屋《へや》に戻《もど》った健太《けんた》は、寝《ね》ている真実《しんじつ》を揺《ゆ》り起《お》こした。

「うーん……健太《けんた》くん、一体《いったい》どうしたんだい?」

真実《しんじつ》が、眠《ねむ》い目《め》をこすりながら身《み》を起《お》こす。

「出《で》たんだよ、出《で》たんだ!」

健太《けんた》は、叫《さけ》びながら庭《にわ》に面《めん》した障子《しょうじ》を指《ゆび》さす。

そこには、長《なが》い髪《かみ》を振《ふ》り乱《みだ》した、着物姿《きものすがた》の幽霊《ゆうれい》のような影《かげ》が映《うつ》っていた。

「これって、幽霊《ゆうれい》……幽霊《ゆうれい》だよね!?」

健太《けんた》が叫《さけ》んでいるあいだにも、障子《しょうじ》に映《うつ》った影《かげ》はどんどん大《おお》きくなる。

「うわああっ、こっちに近《ちか》づいてきたーっ！」

影《かげ》は、やがて障子《しょうじ》を覆《おお》い尽《つ》くすほどの大《おお》きさになり……次《つぎ》の瞬間《しゅんかん》、ふっと消《き》えた。健太《けんた》は、ヘナヘナとその場《ば》にくずおれる。

「……もうダメだ。ぼくには耐《た》えられない。この家《いえ》には、ほんとにいるんだよ。洪水《こうずい》で亡《な》くなった人《ひと》の霊《れい》が……」

しかし、真実《しんじつ》はニヤリとしながら言《い》った。

「いや、科学《かがく》で解《と》けないナゾはない。あれはトリックさ」

「え!?　……あ、ちょっと待《ま》って！　真実《しんじつ》くん、どこ行《い》くの!?」

「幽霊《ゆうれい》の正体《しょうたい》をたしかめに行《い》く」

懐中電灯《かいちゅうでんとう》を手《て》に庭《にわ》に出《で》た真実《しんじつ》を、健太《けんた》はあわてて追《お》いかけた。

10メートルぐらい先《さき》の暗《くら》がりに、白《しろ》い着物姿《きものすがた》の人影《ひとかげ》が見《み》える。

「ほ……ほらっ、やっぱり幽霊《ゆうれい》だよ！　ここにいたら、ぼくたちまでたたられちゃう。真実《しんじつ》

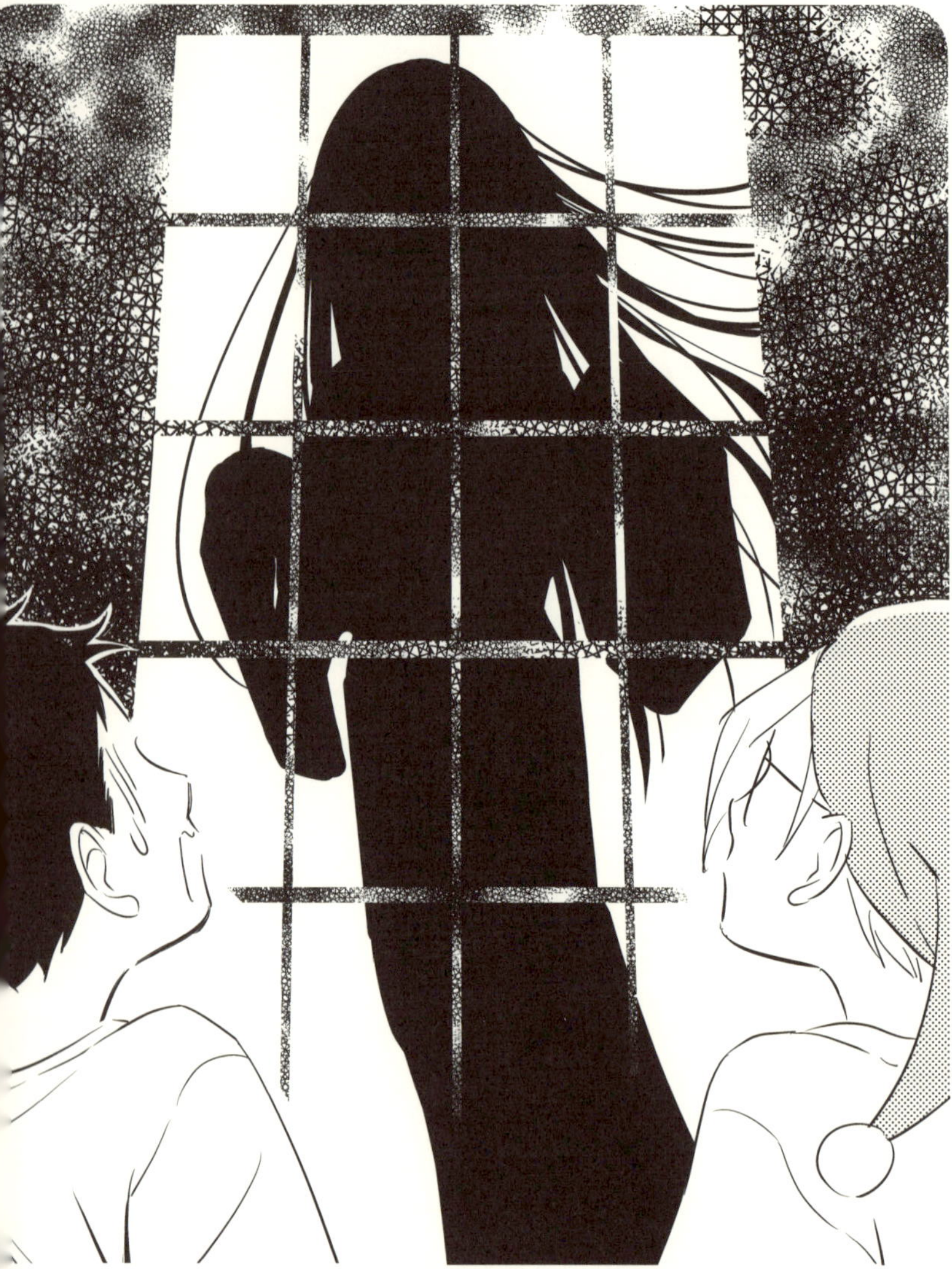

くん、調査《ちょうさ》はもうやめにして、明日《あす》の朝《あさ》、すぐ帰《かえ》ろう。……ね？　ね？」

健太《けんた》は、おどおどした口調《くちょう》で言《い》い、真実《しんじつ》を家《いえ》の中《なか》に押《お》し戻《もど》そうとした。

しかし、真実《しんじつ》は冷静《れいせい》な顔《かお》で懐中電灯《かいちゅうでんとう》をつけ、人影《ひとかげ》を照《て》らしだす。

人影《ひとかげ》は、サッと走《はし》って、物陰《ものかげ》へと消《き》えた。

白装束《しろしょうぞく》の人影《ひとかげ》が立《た》っていた地点《ちてん》に行《い》くと、そこには切《き》り株《かぶ》があり、その上《うえ》には大《おお》きめの懐中電灯《かいちゅうでんとう》が、明《あ》かりが消《け》された状態《じょうたい》でぽつんと残《のこ》されていた。

「やっぱりね」

真実《しんじつ》は、ほほ笑《え》みながらつぶやく。

「幽霊《ゆうれい》を装《よそお》った人間《にんげん》は、切《き》り株《かぶ》に置《お》いたこの懐中電灯《かいちゅうでんとう》で自分自身《じぶんじしん》を照《て》らし、その影《かげ》を障子《しょうじ》に映《うつ》しだしたのさ。影《かげ》が突然《とつぜん》、消《き》えたように見《み》えたのは、懐中電灯《かいちゅうでんとう》の明《あ》かりが消《け》されたからだ」

「で、でもさ……影《かげ》が消《き》えたのは、障子《しょうじ》にいちばん近《ちか》づいた瞬間《しゅんかん》だったんだよ？　障子《しょうじ》から10メートル近《ちか》く離《はな》れた切《き》り株《かぶ》の上《うえ》にある懐中電灯《かいちゅうでんとう》をどうやって消《け》したっていうの？」

健太《けんた》は、あせりながら言《い》った。

4…大《おお》きくなる幽霊《ゆうれい》の仕組《しく》み

1. 幽霊役《ゆうれいやく》を懐中電灯《かいちゅうでんとう》でてらすと障子《しょうじ》に影《かげ》が映《うつ》る

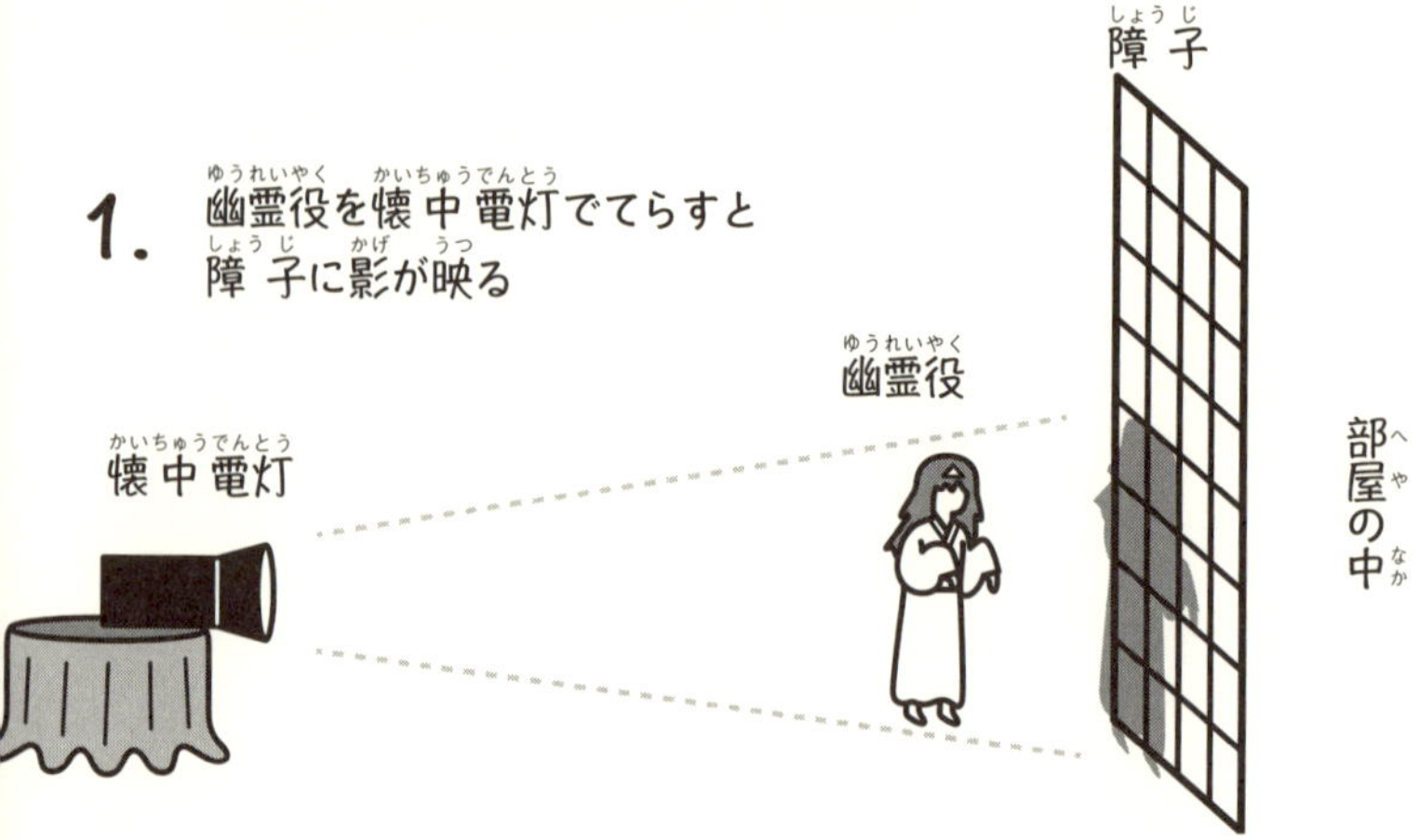

2. 幽霊役《ゆうれいやく》が電灯《でんとう》に近《ちか》づくと、障子《しょうじ》に映《うつ》る影《かげ》が大《おお》きくなる

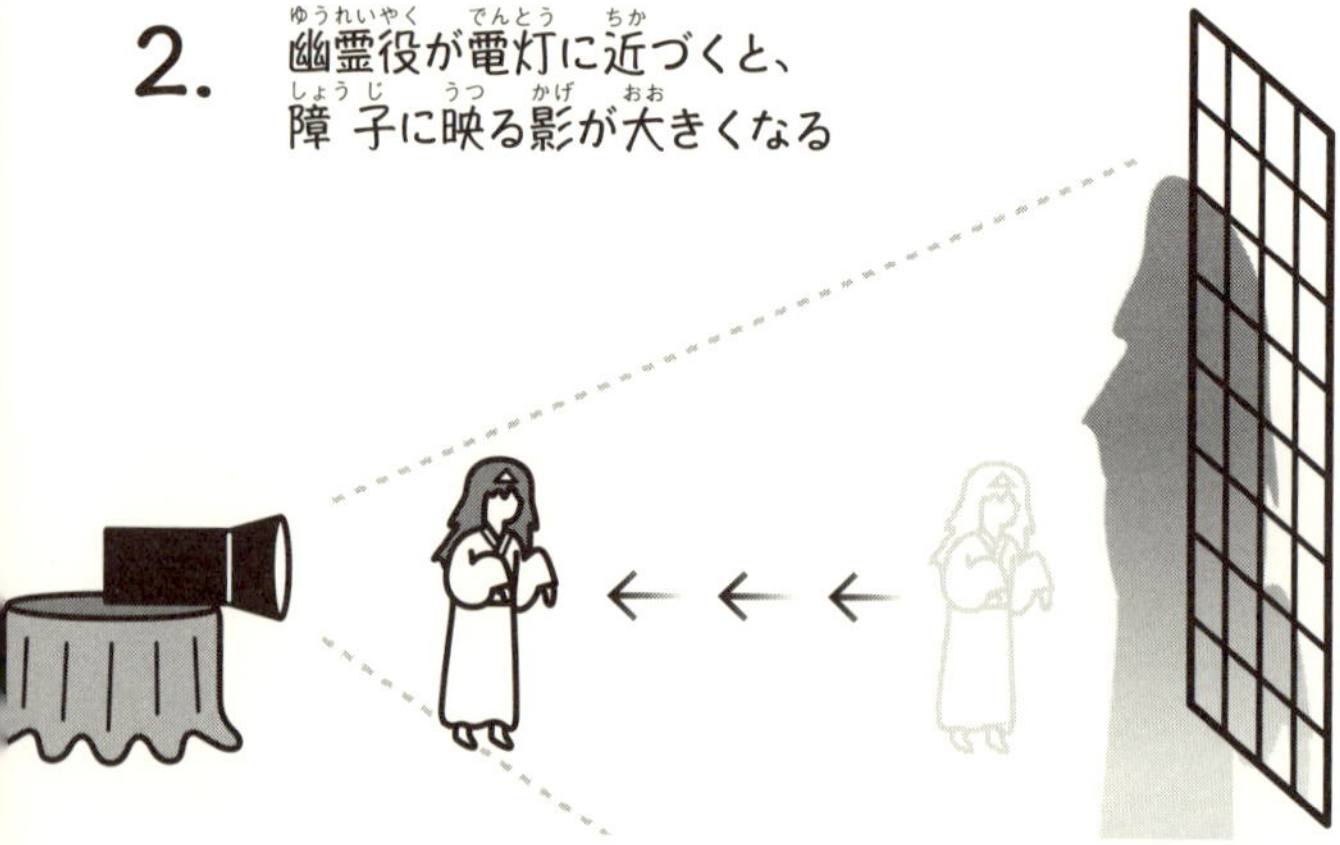

「簡単《かんたん》なことさ」

真実《しんじつ》は答《こた》える。

「影《かげ》を映《うつ》していた人物《じんぶつ》は、障子《しょうじ》に近《ちか》づいたんじゃない、遠《とお》ざかっていったんだ。障子《しょうじ》に映《うつ》った影《かげ》は、その影《かげ》を映《うつ》している実体《じったい》が障子《しょうじ》ではなく、実体《じったい》を照《て》らしている光源《こうげん》——すなわち懐《かい》中電灯《ちゅうでんとう》に近《ちか》づくほどに大《おお》きくなるからね④」

真実《しんじつ》は、サラリとナゾを解《と》き明《あ》かした。

健太《けんた》は、しばし放心《ほうしん》したように真実《しんじつ》を見《み》つめていたが、やがてため息《いき》をつく。

「やっぱり真実《しんじつ》くんは、ぜんぶお見通《みとお》しなんだね」

すると、真実《しんじつ》は、笑《わら》いながら答《こた》える。

「うん、わかってたよ。健太《けんた》くん、キミはウソが下手《へた》だしね」

「……ごめん……本当《ほんとう》にごめん。幽霊騒動《ゆうれいそうどう》をしかけて真実《しんじつ》くんをだまそうなんて考《かんが》えたぼくがバカだった。でも、しかたなかったんだ。ほかにいい方法《ほうほう》を思《おも》いつかなくて……」

「一言《ひとこと》、ぼくに相談《そうだん》してくれればよかったのに……。悦二《えつじ》くん、キミも」

真実《しんじつ》は、幽霊《ゆうれい》が消《き》えた物陰《ものかげ》に向《む》かって、そう声《こえ》をかけた。

「幽霊役《ゆうれいやく》は、金倉悦二《かねくらえつじ》くん、キミなんだろ？」

すると、白装束《しろしょうぞく》に長髪《ちょうはつ》のカツラをつけた悦二《えつじ》が物陰《ものかげ》から出《で》てきた。

「健太《けんた》くん、悦二《えつじ》くん、キミたちがどうしてこんなことをしたのか、ぼくには察《さっ》しがつく。キミたちは、ある動物《どうぶつ》をかばっているんだろ？」

健太《けんた》と悦二《えつじ》は、バツが悪《わる》そうに顔《かお》を見合《みあ》わせる。真実《しんじつ》は続《つづ》けた。

「天井裏《てんじょううら》から聞《き》こえてくる物音《ものおと》、異臭《いしゅう》、天井《てんじょう》のシミ……この家《いえ》の天井裏《てんじょううら》に何《なに》か動物《どうぶつ》が潜《ひそ》んでいるということは最初《さいしょ》から見当《けんとう》がついていた。その正体《しょうたい》は――」

真実《しんじつ》は、庭《にわ》に転《ころ》がっているトウモロコシを懐中電灯《かいちゅうでんとう》で照《て》らしだす。トウモロコシはきれいに皮《かわ》がむかれ、芯《しん》だけを残《のこ》して中身《なかみ》が食《た》べられていた。

さらにその先《さき》には、スイカが転《ころ》がっていた。スイカには5センチほどの小《ちい》さな穴《あな》が開《あ》けられ、中《なか》は空洞《くうどう》になっていた。

「人間《にんげん》のようにトウモロコシの皮《かわ》をむき、芯《しん》だけを残《のこ》して食《た》べる動物《どうぶつ》……スイカに穴《あな》を開《あ》けて中身《なかみ》だけを取《と》り出《だ》して器用《きよう》に食《た》べる動物《どうぶつ》といったら、長《なが》い5本《ほん》の指《ゆび》を持《も》つあの動物《どうぶつ》しか考《かんが》えられない」

アニメで有名《ゆうめい》になった動物《どうぶつ》だよ

解《かい》決《けつ》編《へん》

「その動物《どうぶつ》は、アライグマさ」

真実《しんじつ》は言《い》った。

「北《きた》アメリカが原産《げんさん》のアライグマは、アリゲーターガーと同《おな》じく、もともとは日本《にほん》にいない生《い》き物《もの》。1977年《ねん》に放送《ほうそう》されたアニメがきっかけでブームとなり、ペットとして日本《にほん》に持《も》ち込《こ》まれ、逃《に》げ出《だ》して野生化《やせいか》した生《い》き物《もの》だ」

真実《しんじつ》が懐中電灯《かいちゅうでんとう》で庭《にわ》の一角《いっかく》を照《て》らすと、植《う》え込《こ》みから、1匹《ぴき》のアライグマが飛《と》び出《だ》してきた。アライグマは、雨《あま》どいをつたって素早《すばや》く白壁《しらかべ》をよじ登《のぼ》ると、屋根《やね》の下《した》に設置《せっち》された換《かん》気口《きこう》の中《なか》へと消《き》えていった。

「あのアライグマは、換気口《かんきこう》からこの家《いえ》に入《はい》り込《こ》み、天井裏《てんじょううら》にすみついた。天井裏《てんじょううら》から聞《き》こえてくる足音《あしおと》や物音《ものおと》も、すべてあのアライグマが起《お》こしていたものさ。天井《てんじょう》のシミは、アライグマのおしっこ。家族全員《かぞくぜんいん》がぜんそくのような症状《しょうじょう》に悩《なや》まされていたのは、アライグマに寄生《きせい》するダニが原因《げんいん》だった」

真実《しんじつ》は、ナゾを解《と》き明《あ》かす。秘密を暴かれた悦二は、必死な顔で言った。

「頼《たの》む、ポンタのことは誰《だれ》にも言《い》わないでくれ！」

天井裏《てんじょううら》にすみついたアライグマに悦二《えつじ》は「ポンタ」と名《な》づけ、仏壇《ぶつだん》のお菓子《かし》や果物《くだもの》、トウモロコシやスイカを与《あた》えてかわいがっていた。

しかし、特定外来生物《とくていがいらいせいぶつ》に指定《してい》されているアライグマは、日本古来《にほんこらい》の生態系《せいたいけい》を崩《くず》さないよう、飼育《しいく》するだけではなく、持《も》ち運《はこ》ぶことまで、原則《げんそく》禁《きん》じられている。捕獲《ほかく》されたら、殺処分《さつしょぶん》しか道《みち》はない。悦二《えつじ》から事情《じじょう》を聞《き》かされた健太《けんた》は、味方《みかた》となってポンタを守《まも》ろうとしたのだ。

「真実《しんじつ》くん、ぼくからもお願《ねが》い、ポンタを見逃《みのが》してあげて！」

「特定外来生物《とくていがいらいせいぶつ》のアライグマを野放《のばな》しにしておけば、日本《にほん》にもとからいる固有種《こゆうしゅ》が絶滅《ぜつめつ》する恐《おそ》れもある。農作物《のうさくぶつ》を荒《あ》らすなど、人間《にんげん》への被害《ひがい》も大《おお》きいよ。それでも、見逃《みのが》すべきだと思《おも》うかい？」

「わかってるよ、真実《しんじつ》くん。でも、科学《かがく》で解《と》けないこともあるんだよ」

健太《けんた》は、肩《かた》を震《ふる》わせながら反論《はんろん》した。

「人《ひと》に見《み》つかったら、ポンタは殺《ころ》されちゃうんだ。でも、ポンタが何《なに》か悪《わる》いことをした？　ただ生《い》きているだけだよ？　おなかがすくから食《た》べ

アライグマ
食肉目《しょくにくもく》アライグマ科《か》、体長《たいちょう》0・6〜1メートル（尾《お》を含《ふく》む）。夜行性《やこうせい》で木登《きのぼ》りや泳《およ》ぎも得意《とくい》。農作物《のうさくぶつ》への被害《ひがい》に加《くわ》え、狂犬病《きょうけんびょう》などの病原体《びょうげんたい》を媒介《ばいかい》する危険性《きけんせい》も指摘《してき》されている。特定外来生物《とくていがいらいせいぶつ》（151ページ参照《さんしょう》）に指定《してい》され、現在《げんざい》ではペットとして飼育《しいく》することも禁止《きんし》されている。

物《もの》を食《た》べる……ぼくたちと同《おな》じだよ？　それなのに殺《ころ》されるなんて……あ、あんまりだよ！」

目《め》に涙《なみだ》をためた健太《けんた》の顔《かお》を、真実《しんじつ》はじっと見《み》つめていた。

「……そうだね、健太《けんた》くん。ただ生《い》きているだけの、罪《つみ》なき命《いのち》を奪《うば》う権《けん》利《り》が人間《にんげん》にあるのか？　……それは、とても難《むずか》しい問題《もんだい》だ」

「なるほど。そういうことだったのか」

そのとき、背後《はいご》から、声《こえ》が聞《き》こえてきた。

「この家《いえ》の怪現象《かいげんしょう》は、天井裏《てんじょううら》に潜《ひそ》むアライグマのせいだったんだな」

「父《とう》さん！」

悦二《えつじ》は、顔《かお》をこわばらせる。背後《はいご》に立《た》っていたのは、この家《いえ》のあるじで悦二《えつじ》の父親《ちちおや》の溜一《りゅういち》だったのだ。

「父《とう》さん、ポンタのことは、知《し》らなかったことにしてくれ！　この家《いえ》で飼《か》うのがダメなら、こっそり山《やま》に逃《に》がすから……だから、お願《ねが》い、お願《ねが》

特定外来生物《とくていがいらいせいぶつ》
外来生物《がいらいせいぶつ》（１３０ページ参照《さんしょう》）のうち、生態《せいたい》系《けい》に被害《ひがい》を与《あた》えるおそれがあるとして飼育《しいく》、栽培《さいばい》、保管《ほかん》および運搬《うんぱん》などが禁止《きんし》されている生物《せいぶつ》のこと。アライグマのほか、アリゲーターガー、カミツキガメ、ブルーギルなどが環境省《かんきょうしょう》により指定《してい》されている（１５８ページ参照《さんしょう》）。

いだよ！」

悦二《えつじ》は、父親《ちちおや》にすがり、懸命《けんめい》に頼《たの》み込《こ》む。

「わ……わかった。とにかく今日《きょう》はもう遅《おそ》いから、悦二《えつじ》、おまえは部屋《へや》に行《い》って寝《ね》なさい」

溜一《りゅういち》は言葉《ことば》を濁《にご》してそう答《こた》えると、2階《かい》へ行《い》くよう、悦二《えつじ》を促《うなが》す。そして、自身《じしん》もその場《ば》をあとにした。

「お父《とう》さんは『わかった』って言《い》ってたけど、ほんとにポンタを助《たす》けてくれるかな？」

健太《けんた》は、不安《ふあん》げにたずねる。

「さあ、それはどうだか……」

真実《しんじつ》は答《こた》え、顔《かお》をくもらせた。

「いずれにせよこの問題《もんだい》は、ぼくたちだけでは解決《かいけつ》できない。大人《おとな》に相談《そうだん》するしか……」

翌日《よくじつ》、溜一《りゅういち》は駆除業者《くじょぎょうしゃ》を呼《よ》び、アライグマのポンタを捕獲《ほかく》させた。

「ポンタを殺《ころ》さないで！」

悦二《えつじ》と健太《けんた》は、泣《な》きながら駆除業者《くじょぎょうしゃ》にすがりついた。

「坊《ぼう》やたち、頼《たの》むから、大人《おとな》の仕事《しごと》の邪魔《じゃま》をしないでくれ」

駆除業者《くじょぎょうしゃ》は、困惑《こんわく》した顔《かお》で言《い》う。そこに、事情《じじょう》を知《し》った姉《あね》・亜理紗《ありさ》もやってきた。

「悦二《えつじ》、やめなさい！　皆《みな》さんが困《こま》ってらっしゃるわ」

亜理紗《ありさ》は、弟《おとうと》の手《て》を引《ひ》っ張《ぱ》って、駆除業者《くじょぎょうしゃ》から引《ひ》き離《はな》そうとする。

しかし、悦二《えつじ》はその手《て》を振《ふ》り払《はら》い、真実《しんじつ》を指《ゆび》さして言《い》った。

「姉《ねえ》ちゃんがいけないんだ！　悪霊《あくりょう》がどうとか言《い》って、アイツをこの家《いえ》に呼《よ》んだから！」

「しかたないじゃない！　おじいちゃんはひどいぜんそくで苦《くる》しんでいたし、私《わたし》もほんとに悪霊《あくりょう》かと思《おも》っておびえていたのよ！」

悦二《えつじ》と亜理紗《ありさ》が言《い》い争《あらそ》っているところに、真実《しんじつ》が現《あらわ》れた。

「江古田《えこた》さんに電話《でんわ》でアライグマのことを相談《そうだん》してみた。そうしたらあちこちにかけ合《あ》ってくれて、アライグマを引《ひ》き取《と》ってくれる動物園《どうぶつえん》が見《み》つかった」

「えっ、ほんとに!?　じゃあ、ポンタは死《し》なずにすむのか!?　よかった……よかったなあ、ポンタ」

悦二《えつじ》は、ポンタがとらわれているおりを抱《だ》きかかえるようにしながら、うれし涙《なみだ》を流《なが》す。

しばらくして悦二《えつじ》は、真実《しんじつ》に向《む》き直《なお》った。

「……ありがとう。さっきは『アイツ』なんて言《い》って悪《わる》かった。健太《けんた》くんの言《い》うとおり、あんたは、いいやつだ。そして、日本一《にほんいち》の名探偵《めいたんてい》だ」

「いや、ぼくは江古田《えこた》さんに相談《そうだん》を持《も》ちかけただけだよ」

真実は、ほほ笑みながら答える。健太も真実のそばに寄って、感激した様子で言った。

「真実《しんじつ》くん、ありがとう。これで、アライグマたちが命《いのち》を落《お》とすことはなくなるってことだよね。さすがは真実《しんじつ》くんだ！」

「……いや、今回《こんかい》はたまたま、受《う》け入《い》れ先《さき》が見《み》つかっただけだ。捕《つか》まった特定外来生物《とくていがいらいせいぶつ》が、すべて命《いのち》が助《たす》かる保証《ほしょう》はない。そこには、やはり、とても難《むずか》しい問題《もんだい》が……」

真実《しんじつ》の言葉《ことば》に、健太《けんた》はうなずき、考《かん》え込《こ》むような表情《ひょうじょう》でうつむいた。

この日《ひ》の帰《かえ》り道《みち》。真実《しんじつ》、健太《けんた》、美希《みき》の3人《にん》は、それぞれの胸《むね》に複雑《ふくざつ》な思《おも》いを抱《いだ》きながら、川沿《かわぞ》いの道《みち》を歩《ある》いていた。すると……。

「うわあ、か、怪物《かいぶつ》だ——っ!!」

またしてもハマセンの叫《さけ》び声《ごえ》が聞《き》こえてきた。今度《こんど》は、たたみ一畳《いちじょう》ほどの、巨大《きょだい》なアカエイを釣《つ》り上《あ》げてしまったらしい。

「もしかして、そのアカエイも、誰《だれ》かが捨《す》てた外来種《がいらいしゅ》!?」

健太《けんた》は、目《め》を丸《まる》くしながらたずねる。

「いや、違《ちが》う。エイは、もともとこのあたりの海《うみ》にすんでいた生《い》き物《もの》さ。海水《かいすい》と川《かわ》の水《みず》がまざったところにもすめるので、エサを求《もと》めてやってきたんだろう」

真実《しんじつ》の言葉《ことば》を聞《き》き、ハマセンはホッとしたように言《い》う。

「外来種《がいらいしゅ》じゃない、コイツは川《かわ》に返《かえ》しても大丈夫《だいじょうぶ》なんだな?」

「ええ、先生《せんせい》、大丈夫《だいじょうぶ》です。でも、シッポに毒針《どくばり》があるので気《き》をつけてください」

「お、おう、わかってる」

ハマセンは、エイが暴《あば》れないように長靴《ながぐつ》を履《は》いた足《あし》で押《お》さえつけると、慎重《しんちょう》な手《て》つきで釣《つ》り針《ばり》を外《はず》し、川《かわ》にリリースする。

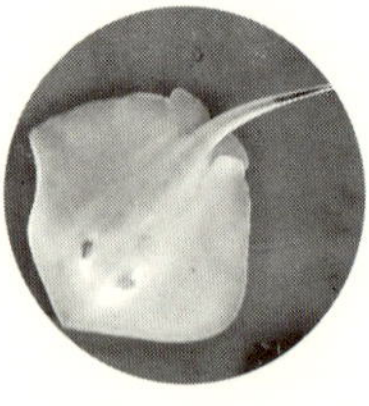

アカエイ
トビエイ目《もく》アカエイ科《か》の海水魚《かいすいぎょ》で平《ひら》たいひし形《がた》の体《からだ》と長《なが》い尾《お》が特徴《とくちょう》。尾《お》には毒針《どくばり》を持《も》つ。食《た》べてもおいしい。

エイは、その大《おお》きなヒレをくねらせながら、川《かわ》の上流《じょうりゅう》のほうへと泳《およ》ぎ去《さ》っていった。

その様子《ようす》を、ハマセンは目《め》を細《ほそ》めて見送《みおく》り、ボソリとつぶやく。

「最近《さいきん》、花森川《はなもりがわ》では魚《さかな》がとれなくなっちまってなあ。たまに釣《つ》れたと思《おも》ったら、ヘンなのばかりだよ」

「そう言《い》えば先生《せんせい》、昨日釣《きのうつ》ったアリゲーターガー、特定外来生物《とくていがいらいせいぶつ》だから飼《か》っちゃダメなんですよね。処理《しょり》しておくって言《い》ってたけど……た、食《た》べたんですか？」

健太《けんた》は、おそるおそるたずねた。ハマセンは「ガハハ」と笑《わら》い、こう言《い》い返《かえ》してきた。

「まあ、最初《さいしょ》は食《く》うつもりだったんだけどな。アイツ、よく見《み》ると、愛嬌《あいきょう》のある顔《かお》してて、殺《ころ》すのがかわいそうになっちまってな」

ハマセンが役所《やくしょ》に相談《そうだん》したところ、近《ちか》くの研究機関《けんきゅうきかん》で預《あず》かってくれることになったらしい。ハマセンは、アリゲーターガーに「スズ子《こ》」という名前《なまえ》をつけ、ボランティアで飼育《しいく》の手伝《てつだ》いもするつもりだという。

「きょうもスズ子《こ》に会《あ》いに行《い》くんだ。アイツ、見《み》れば見《み》るほどかわいいいんだよなー」

ほほ笑《え》むハマセンを見《み》て、健太《けんた》は少《すこ》しだけ救《すく》われた気持《きも》ちになった。

4

SCIENCE TRICK DATA FILE

科学《かがく》トリック データファイル

特定外来《とくていがいらい》生物《せいぶつ》って？

生態系《せいたいけい》を乱《みだ》す恐《おそ》れがある「特定外《とくていがい》来生物《らいせいぶつ》」（P151参照《さんしょう》）は、2020年現在《ねんげんざい》、156種類《しゅるい》の動植物《どうしょくぶつ》が指定《してい》されています。アライグマのほか、ウシガエルやオオクチバス（ブラックバス）など、よく見《み》かける動物《どうぶつ》もいます。ペットや食用《しょくよう》として人間《にんげん》が持《も》ち込《こ》み、その後《ご》に野生化《やせいか》した動物《どうぶつ》も少《すく》なくありません。

外来生物《がいらいせいぶつ》がもたらす影響《えいきょう》

①在来種《ざいらいしゅ》を食《た》べる

もともとその場所《ばしょ》で生活《せいかつ》していた在《ざい》来種《らいしゅ》と競争《きょうそう》し、在来種《ざいらいしゅ》を食《た》べてその数《かず》を大《おお》きく減《へ》らしてしまうことも

②在来種《ざいらいしゅ》の生息環境《せいそくかんきょう》を奪《うば》う

在来種《ざいらいしゅ》のエサや、生息《せいそく》に必要《ひつよう》な環境《かんきょう》を奪《うば》ってしまう。在来種《ざいらいしゅ》との雑種《ざっしゅ》を作《つく》ってしまうこともある

③人体《じんたい》への影響《えいきょう》

外来生物《がいらいせいぶつ》のなかには毒《どく》を持《も》っていたり、人《ひと》をかんだり刺《さ》したりする生《せい》物《ぶつ》もいる

④農林水産業《のうりんすいさんぎょう》への影響《えいきょう》

畑《はたけ》を踏《ふ》み荒《あ》らしたり、農林水産物《のうりんすいさんぶつ》を食《た》べてしまう動物《どうぶつ》もいる

ポルターガイストの正体《しょうたい》は
アライグマだったんだね！

という意見《いけん》も聞かれた
今回《こんかい》の場合《ばあい》、引《ひ》き取《と》り先《さき》

あくまでもたまた

毎朝新聞

化 解決《かいけつ》！ 超常現象《ちょうじょうげんしょう》ハンター

花森町《はなもりちょう》の金倉家《かねくらけ》で夜《よ》な夜《よ》な天井《てんじょう》裏《うら》から足音《あしおと》が聞《き》こえたり、怪音《かいおん》が響《ひび》いたりするポルターガイスト騒動《そうどう》が勃発《ぼっぱつ》。住人《じゅうにん》を恐《きょう》怖に陥《おとしい》れた。調査《ちょうさ》の結《けっ》果《か》、その原因《げんいん》は、天井《てんじょう》裏《うら》にすみついたアライグマだったとわかった。

アライグマは、北《きた》アメリカ原産《げんさん》の外来種《がいらいしゅ》。日本《にほん》に昔《むかし》からいる固有種《こゆうしゅ》を絶《ぜつ》滅《めつ》させる恐《おそ》れもあり、農《のう》作物《さくもつ》への被害《ひがい》も大《おお》きいことから、特定外来生物《とくていがいらいせいぶつ》に指定《してい》されている。

アライグマが大繁殖《だいはんしょく》した背景《はいけい》には、日本《にほん》の自然《しぜん》環境《かんきょう》に適応《てきおう》していることと、もともと繁殖力《はんしょくりょく》が高《たか》く、しかも日本《にほん》には強力《きょうりょく》な天敵《てんてき》がいないことが考《かんが》えられる。

「駆除《くじょ》は仕方《しかた》ない」という考《かんが》え方《かた》がある一方《いっぽう》で、「駆除《くじょ》される外来種《がいらいしゅ》も被害者《ひがいしゃ》」「悪《わる》いのは捨《す》てる人間《にんげん》のほう」という声《こえ》も多《おお》い。

第四回《だいよんかい》 アライグマ大繁殖《だいはんしょく》 悪《わる》いのは人間《にんげん》か？

いまは飼育《しいく》が原則《げんそく》禁止《きんし》されているアライグマ

ひとくちグルメMEMO

花森町《はなもりちょう》で今話題《いまわだい》のグルメといえば、最近《さいきん》、花森《はなもり》川《がわ》でも見《み》かけるようになったアカエイのサンド。フライにしたエイは、身《み》がフワッとしてクセがなく、パンとの相性《あいしょう》もバッチリ。（M・A）

ほかにも
リガニや
といった
ふつうは
まわり
みると
せて
くそ

外来種《がいらいしゅ》はいろいろ問題《もんだい》があるってのはよくわかったけど……。
だからって、殺《ころ》しちゃうのはかわいそうだよね？

そうよね。もともとは日本《にほん》の生態系《せいたいけい》を破壊《はかい》するような生《い》き物《もの》を持《も》ち込《こ》んだ人間《にんげん》のせいなんだから。

これはあまり知《し》られていない事実《じじつ》だけど、日本《にほん》から海外《かいがい》へ持《も》ち込《こ》まれ、海外《かいがい》の人《ひと》を悩《なや》ませている日本原産《にほんげんさん》の外来種《がいらいしゅ》も結構《けっこう》いるんだよ。

えっ、そうなの!?

たとえばアライグマとよく似《に》たタヌキは、ペットや毛皮《けがわ》にする目的《もくてき》でヨーロッパに持《も》ち込《こ》まれ、野生化《やせいか》して大繁殖《だいはんしょく》し、農作物《のうさくぶつ》を荒《あ》らす厄介者《やっかいもの》になった。コイや金魚《きんぎょ》も、日本《にほん》からアメリカに持《も》ち込《こ》まれて野生化《やせいか》している。

タヌキや金魚《きんぎょ》まで!?
外来種問題《がいらいしゅもんだい》は知《し》れば知《し》るほど、ショッキングなことだらけだあ～!!

アライグマが日本《にほん》で野生化《やせいか》したのは1960年代《ねんだい》から。いまではほぼ全国《ぜんこく》に生息《せいそく》しているらしい。

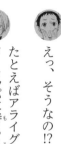

古都《こと》を襲《おそ》う
百鬼夜行《ひゃっきやこう》

超《ちょう》・自然現象《しぜんげんしょう》5

奈《な》良《ら》県《けん》

深夜《しんや》の住宅街《じゅうたくがい》。とある一軒家《いっけんや》の2階《かい》の子《こ》ども部屋《べや》で、小学《しょうがく》5年生《ねんせい》の魚山旬太《うおやましゅんた》は遅《おそ》くまで布団《ふとん》にもぐりこんで本《ほん》を読《よ》んでいた。

旬太《しゅんた》の大好《だいす》きな、妖怪本《ようかいぼん》の新刊《しんかん》が出《で》たばかりなのだ。

そのとき、少《すこ》し開《あ》いていた窓《まど》から、家《いえ》の外《そと》の通《とお》りの物音《ものおと》が聞《き》こえてきた。

カツ、カツ、カツ、カツッ。

(足音《あしおと》や。しかもたくさん……こんな夜中《よなか》に歩《ある》く集団《しゅうだん》って、なんやろ?)

気《き》になった旬太《しゅんた》は布団《ふとん》から出《で》て、1階《かい》に下《お》りた。

そして、玄関《げんかん》にある非常用《ひじょうよう》の懐中電灯《かいちゅうでんとう》をとって、台所《だいどころ》にある勝手口《かってぐち》に向《む》かった。

勝手口《かってぐち》の扉《とびら》を静《しず》かに開《あ》けて、外《そと》に出《で》た旬太《しゅんた》は、勇気《ゆうき》をふりしぼって懐中電灯《かいちゅうでんとう》で表《おもて》の通《とお》りを照《て》らしてみる。

なんと、そこには、たくさんの赤《あか》い目《め》が闇《やみ》に浮《う》かんでいた。

闇《やみ》に浮《う》かぶたくさんの赤《あか》い目《め》が、旬太《しゅんた》ににじり寄《よ》ってくる。

「……わ、近《ちか》づいてくるっ!」

旬太《しゅんた》は怖《こわ》くなって、とっさに家《いえ》の陰《かげ》に隠《かく》れた。

無数《むすう》の赤《あか》い目《め》をした集団《しゅうだん》は、目《め》をつぶってガタガタと体《からだ》を震《ふる》わせる旬《しゅん》太《た》のすぐ近《ちか》くまでやってきた。まるで獲物《えもの》を物色《ぶっしょく》するかのようだ。

旬太《しゅんた》は我慢《がまん》できなくなって、一目散《いちもくさん》に家《いえ》の中《なか》へと逃《に》げ込《こ》んだ。

数日後《すうじつご》、美希《みき》は自転車《じてんしゃ》を立《た》ちこぎして、急《いそ》いで図書館《としょかん》に向《む》かっていた。

「あ、いたいた!!」

図書館《としょかん》で読書中《どくしょちゅう》の真実《しんじつ》と、そばにいた健太《けんた》を見《み》つけた美希《みき》は、二人《ふたり》を外《そと》へ連《つ》れ出《だ》した。

「また江古田《えこた》さんから、新《あたら》しいナゾ解《と》きの依頼《いらい》が来《き》たよ! 子《こ》どもが不《ふ》眠症《みんしょう》に悩《なや》まされていて、その原因《げんいん》が、夜中《よなか》に町《まち》を徘徊《はいかい》する赤《あか》い目《め》をした妖怪《ようかい》の集団《しゅうだん》を目撃《もくげき》したことなんだって」

「町《まち》を徘徊《はいかい》する、赤《あか》い目《め》をした妖怪《ようかい》の集団《しゅうだん》? それって百鬼夜行《ひゃっきやこう》じゃないか!」

百鬼夜行《ひゃっきやこう》
いろいろや妖怪《ようかい》や化《ば》け物《もの》が夜中《よなか》に列《れつ》をなして出歩《である》くこと。

妖怪好《ようかいず》きの健太《けんた》は、真《ま》っ先《さき》に話題《わだい》に飛《と》びつき、目《め》を輝《かがや》かせた。

「また、すぐ妖怪《ようかい》に結《むす》びつけるんだから。今回《こんかい》もキツネのときみたいに、動物《どうぶつ》のしわざかもしれないでしょ」

「えー、そんな集団《しゅうだん》で堂々《どうどう》と、人前《ひとまえ》に現《あらわ》れる動物《どうぶつ》なんているかな」

二人《ふたり》の言《い》い争《あらそ》いを聞《き》いていた真実《しんじつ》も、ベンチで目《め》を落《お》としていた海外《かいがい》ミステリー本《ぼん》を閉《と》じた。

「妖怪《ようかい》かどうかはともかく、子《こ》どもが眠《ねむ》れないのは気《き》の毒《どく》だね。美希《みき》さん、深夜徘徊《しんやはいかい》する赤《あか》い目《め》の集団《しゅうだん》が目撃《もくげき》されたという場所《ばしょ》はどこなんだい？」

「どうやら、奈良県《ならけん》らしいよ」

「わあー、こんな大《おお》きいんだ!! まるで映画《えいが》の巨大《きょだい》ロボットみたいだ」

奈良《なら》にある東大寺《とうだいじ》の大仏《だいぶつ》を、真下《ました》から見上《みあ》げた健太《けんた》は驚《おどろ》きの声《こえ》をあげた。真実《しんじつ》、健太《けんた》、美《み》希《き》は怪奇現象《かいきげんしょう》の目撃者《もくげきしゃ》と会《あ》う時間《じかん》まで、市内《しない》を観光《かんこう》しているのだ。

「ガハハ、オレに負《ま》けないくらいの食《く》いしん坊《ぼう》だな！ シカってやつは」

シカにせんべいをあげていたハマセンが遅《おく》れてやってきた。今回《こんかい》は江《え》古田《こた》が仕事《しごと》の都合《つごう》で来《こ》られないため、ハマセンが同行《どうこう》しているのだ。

美希《みき》は、面白《おもしろ》くない顔《かお》をした。

「自分《じぶん》たちだけでがんばろうと思《おも》ったのに先生《せんせい》が見張《みは》ってちゃ、やる気《き》なくなるな」

「何《なに》を言《い》ってる、愛《あい》する教《おし》え子《ご》たちに、万《まん》が一何《いちなに》かあったらいけないからな」

「それなら北海道《ほっかいどう》のときみたいに、大前先生《おおまえせんせい》でよかったのに……。それに、アリゲーターガーのお世話《せわ》は大丈夫《だいじょうぶ》なんですか?」

「それは大丈夫《だいじょうぶ》だ! オレがいないあいだも、研究機関《けんきゅうきかん》の人《ひと》がちゃんとスズ子《こ》を世話《せわ》してくれてるよ」

まだ納得《なっとく》していない美希《みき》が、ハマセンをジロリと見《み》る。

「でも浜田先生《はまだせんせい》、ほんとは自分《じぶん》が奈良《なら》に旅行《りょこう》したかっただけじゃないんですか? 朝《あさ》から柿《かき》の葉《は》ずしやよもぎもち食《た》べて、私《わたし》たちよりよっぽど

東大寺《とうだいじ》
奈良時代《ならじだい》に創建《そうけん》され、752年《ねん》に大仏《だいぶつ》が建立《こんりゅう》される。大仏《だいぶつ》はこれまで源平合戦《げんぺいがっせん》の時代《じだい》、戦国時代《せんごくじだい》の2回焼《かいや》け落《お》ちているが、そのたびに再建《さいこん》された。

楽《たの》しんでるし」

「な、なにを言《い》う、青井《あおい》。そんなことあるわけないじゃないか。アハ、アハハハッ」

ハマセンはひきつった顔《かお》で、白々《しらじら》しい笑《わら》い声《ごえ》をあげた。

騒《さわ》がしいみんなと違《ちが》って、真実《しんじつ》は一人《ひとり》、静《しず》かに大仏《だいぶつ》を見《み》つめていた。

「この大仏《だいぶつ》は、飢饉《ききん》や疫病《えきびょう》があった時代《じだい》に、それをおさめるためにつくられた。いわば芸術《げいじゅつ》と、人々《ひとびと》の祈《いの》りの融合《ゆうごう》だ。だから美《うつく》しいんだろうね」

美希《みき》が何《なに》かを見《み》つけて、大《おお》きな柱《はしら》の元《もと》に駆《か》け寄《よ》った。

「この柱《はしら》の穴《あな》、大仏《だいぶつ》の鼻《はな》の穴《あな》の大《おお》きさなんだって!! 私《わたし》、通《とお》り抜《ぬ》けに挑《ちょう》戦《せん》したい！」

美希《みき》はなんなく通《とお》り抜《ぬ》けた。健太《けんた》も挑戦《ちょうせん》してみた。

「やった!! ぼくも通《とお》り抜《ぬ》けられた。ねえ、真実《しんじつ》くんもやってみてよ」

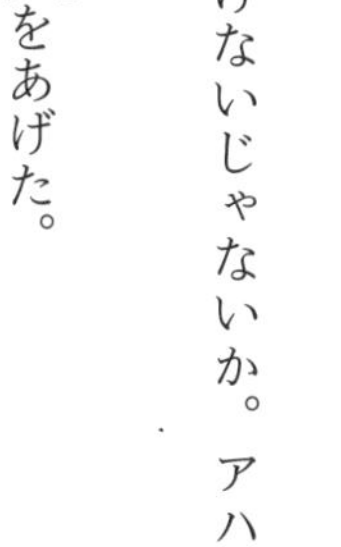

柿《かき》の葉《は》ずし

サバやサケの押《お》しずしを、柿《かき》の葉《は》でくるんだ奈良県《ならけん》や和歌山県《わかやまけん》などの郷土料理《きょうどりょうり》。柿《かき》の葉《は》には殺菌効果《さっきんこうか》があるとされている。

よもぎもち

もちにヨモギを混《ま》ぜた和菓子《わがし》。ヨモギには邪《じゃ》気《き》を払《はら》う力《ちから》があるとされている。

「ぼくは遠慮《えんりょ》しておくよ。服《ふく》を汚《よご》したくないからね」

「よーし、じゃあオレが通《とお》り抜《ぬ》けてやるとするか」

割《わ》って入《はい》ってきたハマセンは、勢《いきお》いよく、穴《あな》の中《なか》に体《からだ》をねじ込《こ》んだ。

「え、先生《せんせい》も挑戦《ちょうせん》するんですか？」と、健太《けんた》は驚《おどろ》きの声《こえ》をあげる。

「何事《なにごと》もチャレンジが大切《たいせつ》だ。どうだ、入《はい》っただろ、あ、あれ⁉」

ハマセンは上半身《じょうはんしん》はすんなり入《はい》ったが、途中《とちゅう》で身動《みうご》きが取《と》れなくなった。

「え、おかしいな」

ハマセンは必死《ひっし》に体《からだ》を動《うご》かすが、抜《ぬ》けられない。

心配《しんぱい》そうに見《み》ていた健太《けんた》だが、ハッとして腕時計《うでどけい》を見《み》る。

「美希《みき》ちゃん、もう急《いそ》がなきゃだよね？　ここから駅《えき》までけっこうあるよ」

「うん、健太《けんた》くん、走《はし》ろう。じゃ、先生《せんせい》、お寺《てら》の人《ひと》に伝《つた》えておくね」

美希《みき》は、健太《けんた》と急《いそ》いで大仏《だいぶつ》のある建物《たてもの》を出《で》た。

真実《しんじつ》も、ハマセンに会釈《えしゃく》して二人《ふたり》に続《つづ》こうとする。

「おいっ、謎野《なぞの》、助《たす》けてくれ‼　科学《かがく》の力《ちから》でなんとかならんか」

「たくさんの油《あぶら》やせっけん水《すい》で摩擦《まさつ》を減《へ》らせば抜《ぬ》けられるかもしれませんよ。では、失礼《しつれい》します」

そう告《つ》げて、真実《しんじつ》も先《さき》へと急《いそ》いだ。

穴《あな》にはまったままで、冷《ひ》や汗《あせ》ビッショリのハマセンが叫《さけ》ぶ。

「おーい、ちょっと待《ま》て!! 先生《せんせい》だけ置《お》いてかないでくれー!!」

東大寺《とうだいじ》のある奈良市《ならし》の中心部《ちゅうしんぶ》から、電車《でんしゃ》で4駅《えき》ほど離《はな》れた場所《ばしょ》で、怪奇現象《かいきげんしょう》が起《お》きたという。ショッピングビルやバスターミナルがある駅前《えきまえ》から少《すこ》し離《はな》れた住宅街《じゅうたくがい》に、新《あたら》しいすし店《てん》がある。目撃者《もくげきしゃ》はそこに住《す》む、小学《しょうがく》5年生《ねんせい》の旬太《しゅんた》だ。

「絶対《ぜったい》あれは百鬼夜行《ひゃっきやこう》や! ぼく、妖怪本《ようかいぼん》を読《よ》んでてくわしいんやから」

「え、キミも妖怪好《ようかいず》きなのかい?」

健太《けんた》は急《きゅう》に親近感《しんきんかん》がわいて、うれしくなった。

「うん! 妖怪《ようかい》の知識《ちしき》なら負《ま》けへんで。暗闇《くらやみ》にいっぱい赤《あか》い目《め》が浮《う》かんでたから、あれは絶《ぜっ》対《たい》、百々目鬼《とどめき》や」

「えーっ、百々目鬼《とどめき》!?　100個《こ》の目《め》を実際《じっさい》に見《み》たんだ！」

「懐中電灯《かいちゅうでんとう》で照《て》らすといっぱい赤《あか》い目《め》があってな。こっちに近《ちか》づいてきて、あわてて隠《かく》れてん。ほんで家族《かぞく》を起《お》こして、数分後《すうふんご》に戻《もど》ったら何《なに》もおらんかってん。でもな、妖怪《ようかい》たちが来《き》た証拠《しょうこ》がちゃんと残《のこ》ってたんや」

そう言《い》って旬太《しゅんた》は、家《いえ》の黒《くろ》い鉄《てつ》の門《もん》のところに案内《あんない》してくれた。

健太《けんた》はすぐに異変《いへん》に気《き》づいた。

「わ、黒《くろ》い門《もん》にたくさんの不思議《ふしぎ》な跡《あと》がある」

「そやろ！　これは妖怪《ようかい》が舌《した》でなめた跡《あと》や、妖怪《ようかい》あかなめや」

「え、あかなめは風呂場《ふろば》に出《で》る妖怪《ようかい》だけど……。でも、妖怪《ようかい》のしわざなのはたしかだね。間違《まちが》いない、これは妖怪《ようかい》たちがぞろぞろ歩《ある》く、百鬼夜行《ひゃっきやこう》だ！」

興奮《こうふん》して大声《おおごえ》をあげる健太《けんた》を、美希《みき》はあきれた表情《ひょうじょう》で見《み》る。

その横《よこ》で黙《だま》って門《もん》をじっと観察《かんさつ》していた真実《しんじつ》に、すし職人《しょくにん》で店主《てんしゅ》であ

百々目鬼《とどめき》
腕《うで》にいくつもの目《め》がある女性《じょせい》のかたちをした妖怪《ようかい》。栃木県《とちぎけん》には、百々目鬼《とどめき》が退治《たいじ》された場所《ばしょ》として「百目鬼《どうめき》」という地名《ちめい》が残《のこ》っている。

あかなめ
風呂桶《ふろおけ》など風呂場《ふろば》にある垢《あか》をなめる妖怪《ようかい》。誰《だれ》もいない夜《よる》に出《で》るという。

る旬太《しゅんた》の父《ちち》が声《こえ》をかけてきた。

「真実《しんじつ》さん、美希《みき》さん、ちょっといいですか？　息子《むすこ》は妖怪《ようかい》言《い》うてるけど、私《わたし》には実《じつ》は犯人《はんにん》はわかってるんです」

「犯人《はんにん》がわかってる？」

思《おも》わぬ証言《しょうげん》に、美希《みき》はそうつぶやいて、あわててメモがわりに録音《ろくおん》していたスマホを向《む》けた。

「すし屋《や》をこの場所《ばしょ》に建《た》てて半年《はんとし》なんやけど、魚《さかな》の匂《にお》いが臭《くさ》いって苦情《くじょう》がありましてねえ。出店《しゅってん》をよくないと思《おも》っている人《ひと》がいるんですよ。早朝《そうちょう》、配達《はいたつ》されて置《お》かれてた魚《さかな》が盗《ぬす》まれたことも何度《なんど》もあるし、おそらく、近所《きんじょ》の人《ひと》の嫌《いや》がらせやと思《おも》います」

旬太《しゅんた》の家《いえ》をあとにした美希《みき》と健太《けんた》は、おたがいの推理《すいり》を語《かた》り合《あ》った。

「今回《こんかい》も動物《どうぶつ》のしわざじゃない？　夜行性動物《やこうせいどうぶつ》は夜《よる》、目《め》が赤《あか》く光《ひか》るし」

「でもさあ、動物《どうぶつ》だとすると、魚《さかな》を盗《ぬす》んでるから肉食動物《にくしょくどうぶつ》だよ。そんなのが集団《しゅうだん》でぞろぞろと住宅街《じゅうたくがい》に現《あらわ》れるかな？」

「たしかに……野良犬《のらいぬ》の群《む》れでもないだろうし、旬太《しゅんた》くんのお父《とう》さんが言《い》うように、地元《じもと》の人《ひと》の嫌《いや》がらせなのかな」

話《はなし》を聞《き》いていた真実《しんじつ》が、二人《ふたり》に声《こえ》をかける。

「とにかく、その百鬼夜行《ひゃっきやこう》の集団《しゅうだん》がほかに痕跡《こんせき》を残《のこ》していないか、調《しら》べてみよう」

先頭《せんとう》に立《た》って歩《ある》き始《はじ》める真実《しんじつ》。健太《けんた》と美希《みき》も真実《しんじつ》に続《つづ》いた。

町《まち》を歩《ある》きながら、健太《けんた》は美希《みき》に言《い》った。

「奈良《なら》って古《ふる》い町《まち》だしお寺《てら》も多《おお》いし、きっと妖怪《ようかい》だっていると思《おも》うんだよ」

「まあ、たしかにね。大仏《だいぶつ》は災《わざわ》いをおさめるためにつくられたというし、有名《ゆうめい》な若草山《わかくさやま》の山焼《やまや》きも、幽霊《ゆうれい》が出《で》てきて山《やま》を焼《や》かないとよくないことが起《お》こると言《い》われて始《はじ》まったって、私《わたし》も何《なに》かで読《よ》んだことある」

「でしょ？　この町《まち》は不思議《ふしぎ》なことが起《お》きるんだ。今度《こんど》こそ妖怪《ようかい》だ

若草山《わかくさやま》の山焼《やまや》き
奈良市内《ならしない》にある、全体《ぜんたい》を芝生《しばふ》で覆《おお》われた「若草山《わかくさやま》」の山全体《やまぜんたい》に火《ひ》をかけて燃《も》やす行事《ぎょうじ》。毎《まい》年《とし》1月《がつ》に行《おこな》われている。

よ！」

「でもさあ、おすし屋《や》さんの仕入《しい》れた魚《さかな》を盗《ぬす》む妖怪《ようかい》って何《なに》？」

美希《みき》の言葉《ことば》に、黙《だま》ってしまった健太《けんた》だが、少《すこ》し考《かんが》え、ハッとして大《おお》きな声《こえ》をあげた。

「妖怪《ようかい》、魚頭《ぎょとう》のしわざだよ！　頭《あたま》や体《からだ》が魚《さかな》で人間《にんげん》の手足《てあし》がついた、すごく大《おお》きな妖怪《ようかい》なんだ！　そいつはたぶん魚《さかな》を食《た》べるんだよ」

「よく、そんな妖怪《ようかい》知《し》ってるね……。でも、妖怪《ようかい》より、門《もん》をなめたり魚《さかな》を盗《ぬす》んだり、むしろ未確認生物《みかくにんせいぶつ》、UMA《ユーマ》の可能性《かのうせい》のほうが高《たか》くない？」

二人《ふたり》が盛《も》り上《あ》がっている間《あいだ》、真実《しんじつ》は静《しず》かに町《まち》のあちこちに視線《しせん》を走《はし》らせていた。やがて真実《しんじつ》は、公園《こうえん》の木《き》に目《め》を留《と》めて立《た》ち止《ど》まった。健太《けんた》も、その木《き》を見《み》た。

「あれ、この木《き》、根元《ねもと》の部分《ぶぶん》が縦《たて》に傷《きず》がついている……まるで大《おお》きな爪《つめ》で引《ひ》っかいたみたいだな」

「ああ、それに、このあたりの木々《きぎ》は、一定《いってい》の高《たか》さまで、枝葉《えだは》がなく

魚頭《ぎょとう》
魚《さかな》の体《からだ》に人間《にんげん》の手足《てあし》がついた大《おお》きな妖怪《ようかい》。特《とく》に何《なに》もしないが、たたくと怒《おこ》るという。

UMA《ユーマ》
生物学的《せいぶつがくてき》に存在《そんざい》が確認《かくにん》されていない未知《みち》の動物《どうぶつ》のこと。雪男《ゆきおとこ》（イエティ）やツチノコなどがUMA《ユーマ》とされている。

なっているね。もう少《すこ》し、よく見《み》てみよう」

公園《こうえん》の奥《おく》には雑木林《ぞうきばやし》があり、その奥《おく》に神社《じんじゃ》があった。そこにある木《き》も、やはり根元《ねもと》の部分《ぶぶん》に傷《きず》がついていた。そのうち、健太《けんた》が声《こえ》をあげた。

「あ!! そこら中《じゅう》に食《く》い散《ち》らかされた、魚《さかな》の骨《ほね》がたくさんある！ 神社《じんじゃ》にも妖怪《ようかい》が来《き》ていたんだよ！」

「だから、妖怪《ようかい》じゃなく、絶対《ぜったい》UMA《ユーマ》！ よし、UMA《ユーマ》をつかまえる決定的瞬間《けっていてきしゅんかん》をスクープしよう。真実《しんじつ》くん、今日《きょう》はここで張《は》り込《こ》まない？」

「そうだね、ここにワナを仕掛《しか》けてみよう。美希《みき》さん、このあたりにお米屋《こめや》さんはないかな？ 米《こめ》ぬかと、麦《むぎ》が欲《ほ》しいんだ」

真実《しんじつ》の言葉《ことば》に、美希《みき》も健太《けんた》も驚《おどろ》く。

「UMA《ユーマ》って、米《こめ》ぬかが好《す》きなの？」

「真実《しんじつ》くん、この妖怪《ようかい》の好物《こうぶつ》は魚《さかな》なんだよ？」

「妖怪《ようかい》が来《く》るかUMA《ユーマ》が来《く》るか……。それは、今晩《こんばん》わかるはずだよ」

米《こめ》ぬかを使《つか》ったあるものが好《す》きなんだ

解《かい》決《けつ》編《へん》

その日《ひ》の深夜《しんや》。健太《けんた》、美希《みき》、真実《しんじつ》の3人《にん》は、林《はやし》の陰《かげ》に身《み》を潜《ひそ》めていた。美希《みき》は江古田《えこた》に手配《てはい》してもらった高感度《こうかんど》カメラを、エサを仕掛《しか》けた場所《ばしょ》に向《む》けて構《かま》えている。

眠気《ねむけ》を我慢《がまん》していた健太《けんた》が、「ファアァ〜フゥ」と大《おお》アクビをした。

「ちょっと、のんきすぎ！」

美希《みき》は声《こえ》を潜《ひそ》めて、健太《けんた》をひじで小突《こづ》いた。

そのとき、ガサ、ガサ、ガササッと、複数《ふくすう》の足音《あしおと》がした。

あわてて健太《けんた》は、懐中電灯《かいちゅうでんとう》を物音《ものおと》がするほうに向《む》ける。

そこには、いくつもの赤《あか》く光《ひか》る目《め》が、闇夜《やみよ》に浮《う》かんでいた。

ダッダダダッ！

赤《あか》い目《め》をした集団《しゅうだん》は、人《ひと》の気配《けはい》を察知《さっち》して、突如走《とつじょはし》りだした。

「あ、待《ま》って！　百々目鬼《とどめき》!!　あかなめ!!　魚頭《ぎょとう》!!　ぼくは妖怪《ようかい》の味方《みかた》だって!!」

健太《けんた》はとっさに追《お》いかけた。

高感度《こうかんど》カメラ
わずかな光《ひかり》にも反応《はんのう》し、暗闇《くらやみ》でも対象《たいしょう》を鮮明《せんめい》に写《うつ》すことができるカメラのこと。

そのうしろから、美希《みき》は黒《くろ》い影《かげ》の方向《ほうこう》にカメラを向《む》けてシャッターを切《き》る。

「……ああ、あまりに速《はや》くて追《お》いかけられなかったよ」

残念《ざんねん》そうに戻《もど》ってきた健太《けんた》は、カメラをチェックする美希《みき》を見《み》た。

丸《まる》いお尻《しり》、そして角《つの》……。そこには、あわてて逃《に》げるシカたちのうしろ姿《すがた》が映《うつ》っていた。

「そんな……、正体《しょうたい》は、シカの集団《しゅうだん》だったんだ。百鬼夜行《ひゃっきやこう》じゃなかったんだね」

気《き》が抜《ぬ》けたような声《こえ》をあげた健太《けんた》に、真実《しんじつ》は言《い》った。

「シカの目《め》はライトに照《て》らされると赤《あか》く光《ひか》るんだ。ぬかや麦《むぎ》を仕掛《しか》けたのはシカがよく好《この》むからさ。米《こめ》ぬかは鹿《しか》せんべいの主原料《しゅげんりょう》で、シカが普段《ふだん》食《た》べ慣《な》れているから寄《よ》ってくる。公園《こうえん》の木《き》の傷《きず》も、シカが自分《じぶん》の角《つの》をこすりつけて研《と》いだ跡《あと》だね。植物《しょくぶつ》がある一定《いってい》の高《たか》さまで食《く》い荒《あ》らされていたのはディアーラインといって、シカが植物《しょくぶつ》を食《た》べた印《しるし》だと気《き》づいたのさ」

動物説《どうぶつせつ》からUMA《ユーマ》説《せつ》に乗《の》り換《か》えていた美希《みき》も、がっかりしている。

「え～、納得《なっとく》いかない。だって、シカは草食《そうしょく》だよ？　なんで魚《さかな》を盗《ぬす》むわけ？」

「美希《みき》さん、シカが鳥《とり》などの生《い》き物《もの》の肉《にく》を食《た》べるという報告《ほうこく》は世界《せかい》でもあるよ。食料《しょくりょう》に困《こま》ったら、何《なん》でも食《た》べるんだ。食《た》べ物《もの》に困《こま》って、ここらを徘徊《はいかい》していたんだろうね。目撃者《もくげきしゃ》の家《いえ》

の鉄《てつ》の門《もん》をなめたのも鉄分《てつぶん》やミネラルを補給《ほきゅう》するためだろう。シカは鉄《てつ》分《ぶん》などを補《おぎな》うため、鉄《てつ》をなめるんだ。列車《れっしゃ》のレールをなめようとして線《せん》路《ろ》に入《はい》るのが、シカが列車事故《れっしゃじこ》にあう原因《げんいん》だともいわれているね」

真実《しんじつ》の説明《せつめい》に、美希《みき》が食《く》い下《さ》がる。

「でも、なぜこんな保護区域《ほごくいき》の奈良公園《ならこうえん》から離《はな》れた、住宅地《じゅうたくち》にいるの？」

「おい!!　おまえら、そこで何《なに》してる!!」

ドスの利《き》いた低《ひく》い声《こえ》が林《はやし》に響《ひび》き渡《わた》る。大《おお》きな銃《じゅう》を持《も》ち、にらみを利《き》かせた男《おとこ》が立《た》っていた。健太《けんた》は、とっさに身《み》の危険《きけん》を感《かん》じて目《め》を閉《と》じた。

「ごめんなさい、撃《う》たないで！」

健太《けんた》は、銃《じゅう》を持《も》った男性《だんせい》に叫《さけ》んだ。

「……なんや、子《こ》どもか。ハハハ、オレは猟師《りょうし》や、人間《にんげん》は撃《う》たへんよ。裏《うら》の林《はやし》から変《へん》な物音《ものおと》が聞《き》こえると連絡《れんらく》があって駆《か》けつけたんや」

よく見《み》ると、男性《だんせい》はやさしい目《め》をしていた。健太《けんた》は、ホッとした。

鉄分《てつぶん》、ミネラル

動物《どうぶつ》は体調《たいちょう》を整《ととの》えるため、鉄《てつ》やその他《た》の「ミネラル」を摂取《せっしゅ》する必《ひつ》要《よう》がある。鉄道《てつどう》にシカが進入《しんにゅう》することを防《ふせ》ぐため、シカ専用《せんよう》の鉄分《てつぶん》サプリをレールの近《ちか》くに置いている鉄道会社《てつどうがいしゃ》もある。

男性《だんせい》は、真実《しんじつ》たちの目的《もくてき》を知《し》り、シカについて話《はな》してくれた。

「シカは神《かみ》の使《つか》いとして保護《ほご》されてるけど、近《ちか》ごろは数《かず》が増《ふ》えて、食《た》べ物《もの》を探《さが》して外《そと》へ外《そと》へと食料《しょくりょう》を求《もと》めて移動《いどう》してるんや。大阪《おおさか》や京都《きょうと》の町《まち》でシカが迷《まよ》い込《こ》んで発見《はっけん》されたこともある。農作物《のうさくぶつ》を荒《あ》らすから、保護区《ほごく》域外《いきがい》では駆除対象《くじょたいしょう》になっていて、要請《ようせい》を受《う》けてオレらが捕獲《ほかく》してるんや。オレらも殺《ころ》したくはないんやけどな……」

男性《だんせい》は3人《にん》を、宿泊《しゅくはく》するホテルまで送《おく》ってくれた。

翌朝《よくあさ》。健太《けんた》は宿泊先《しゅくはくさき》で、やりきれない思《おも》いを二人《ふたり》に打《う》ち明《あ》けた。

「……あのシカたちも、いずれ殺《ころ》されちゃうなんて……。アライグマのときもそうだったけど、シカも何《なに》も悪《わる》くないよね。昔《むかし》は生態系《せいたいけい》でいちばん上《うえ》だったニホンオオカミが絶滅《ぜつめつ》してしまったから、バランスが崩《くず》れてシカが増《ふ》えたって、聞《き》いたことがあるよ。だったら、悪《わる》いのはニホンオオカミを絶滅《ぜつめつ》させた、人間《にんげん》じゃないか」

シカの保護区《ほごく》
奈良市《ならし》の奈良公園《ならこうえん》にいるシカは神様《かみさま》の使《つか》いとして昔《むかし》から信仰《しんこう》の対象《たいしょう》となり、現在《げんざい》も保護《ほご》地区内《ちくない》のシカについては天然記念物《てんねんきねんぶつ》として保護《ほご》されている。一方《いっぽう》、奈良市《ならし》の市街地《しがいち》から遠《とお》く離《はな》れた山間部《さんかんぶ》ではシカによる農作物《のうさくぶつ》の被害《ひがい》も広《ひろ》がっており、奈良県《ならけん》は対策《たいさく》に苦慮《くりょ》している。

「うん……。それに猟師《りょうし》さんが言《い》ってたけど、駆除《くじょ》されても、ほとんどが捨《す》てられてしまうんだって……。それならむしろ、料理《りょうり》して食《た》べてあげたほうがいいかもしれないよね」

「えー、シカを食《た》べちゃうなんて、かわいそうだよ！　美希《みき》ちゃん」

「そうだけど……殺《ころ》されて捨《す》てられるより、いいと思《おも》って。健太《けんた》くんは、なぜ鳥《とり》や豚《ぶた》や牛《うし》は食《た》べてもかわいそうじゃないの？」

唐揚《からあ》げ、とんかつ、ステーキが好《す》きな健太《けんた》は、美希《みき》の言葉《ことば》に黙《だま》り込《こ》んでしまった。

「昔《むかし》から人《ひと》は、動物《どうぶつ》の命《いのち》をいただいて、食《た》べたり、革製品《かわせいひん》に活用《かつよう》したり、それで自分《じぶん》たちの命《いのち》をつないできた。だから日本《にほん》ではごはんを食《た》べるとき、いただきます、と感謝《かんしゃ》して食《た》べるんだ」

真実《しんじつ》の言葉《ことば》を聞《き》いた健太《けんた》は、つぶやいた。

「……難《むずか》しいね。シカも、アライグマもみんな必死《ひっし》で生《い》きてるだけなのに」

そのとき、美希《みき》のスマホに着信《ちゃくしん》が入《はい》った。江古田《えこた》からの緊急連絡《きんきゅうれんらく》だ。

「大変《たいへん》なことが起《お》きたんだ！　これから、太平洋《たいへいよう》の海岸《かいがん》に行《い》ってほしいんだ」

突然《とつぜん》の依頼《いらい》に、美希《みき》は思《おも》わず声《こえ》を張《は》り上《あ》げる。

「太平洋《たいへいよう》？　ここからどうやって行《い》くんですか？　いま私《わたし》たち、奈良《なら》にいるんですよ？」

「美希《みき》ちゃんたちは近《ちか》くの小学校《しょうがっこう》に向《む》かってくれ。そこで待《ま》っていればわかるよ」


あわてて宿《やど》を出《で》た美希《みき》、健太《けんた》、真実《しんじつ》の３人《にん》は、近《ちか》くの小学校《しょうがっこう》の校庭《こうてい》で待《ま》った。引率《いんそつ》といいつつ、一人《ひとり》で観光《かんこう》して疲《つか》れて爆睡《ばくすい》しているハマセンは宿《やど》に置《お》いてきた。

ドッドドドドッ

「あ、あそこだ！」

大《おお》きな音《おと》に気《き》づいた健太《けんた》が指《ゆび》さすと、空《そら》の向《む》こうから、ヘリが爆音《ばくおん》を鳴《な》らしやってくる。

「新聞社《しんぶんしゃ》のヘリだ！」

美希《みき》は、突風《とっぷう》に髪《かみ》を乱《みだ》されながら大声《おおごえ》をあげた。

ヘリから江古田《えこた》が身《み》を乗《の》り出《だ》して、手招《てまね》きをしていた。ヘリは、校庭《こうてい》に降《お》り立《た》った。

5

SCIENCE TRICK DATA FILE

科学《かがく》トリック データファイル

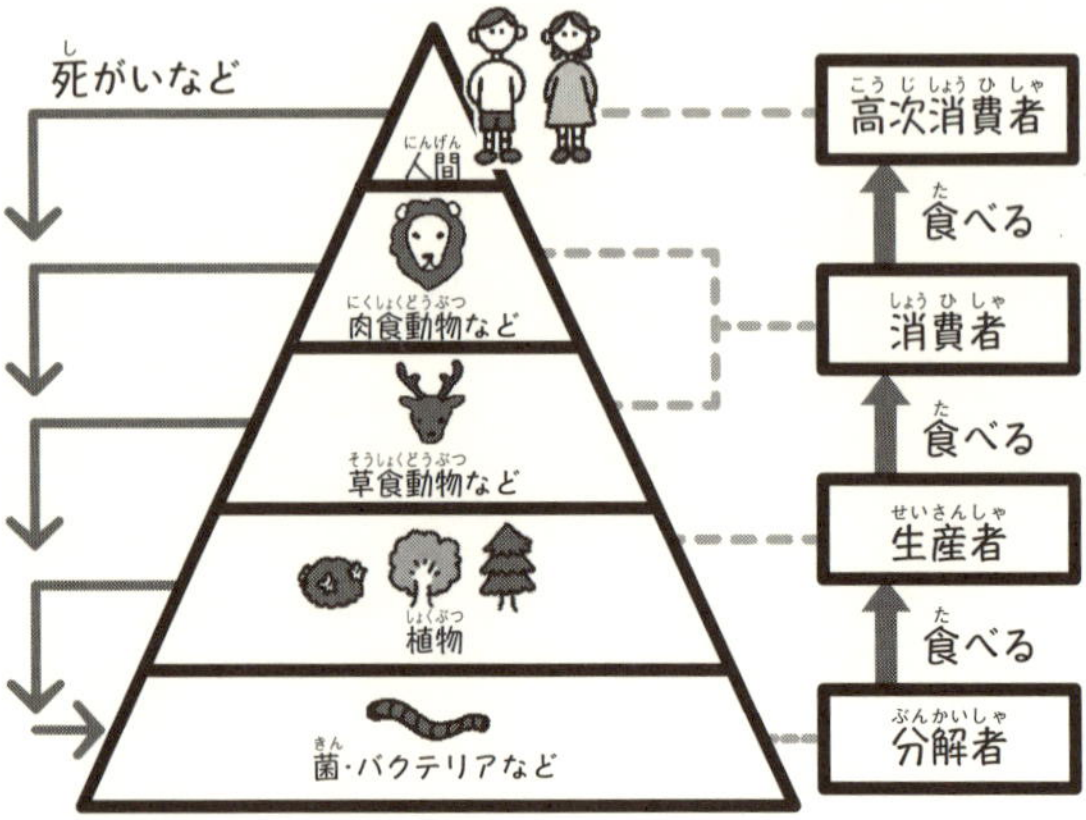

生態系《せいたいけい》が崩《くず》れると？

生態系《せいたいけい》とは、生物《せいぶつ》が食《た》べる、食《た》べられるの関係《かんけい》（食《しょく》物連鎖《もつれんさ》）を主軸《しゅじく》として築《きず》いている環境《かんきょう》です。上《うえ》の図《ず》のように食《た》べられる個体《こたい》のほうが食《た》べる個体《こたい》よりも数《かず》が多《おお》く、生態系内《せいたいけいない》の生《い》き物《もの》が増《ぞう》減《げん》して関係《かんけい》が崩《くず》れると自然《しぜん》界《かい》に大《おお》きな影響《えいきょう》が出《で》ます。

シカがたくさん増《ふ》えた理由《りゆう》

①昔《むかし》は……

日本《にほん》の山《やま》でのシカは、天《てん》敵《てき》のニホンオオカミに食《た》べられることで、増《ふ》えすぎることはなかった。

日本《にほん》のシカは一時期《いちじき》絶滅寸前《ぜつめつすんぜん》だったんだよ

②ところが……

ニホンオオカミは家畜《かちく》にも害《がい》を与《あた》えるため、人間《にんげん》が積極的《せっきょくてき》に駆除《くじょ》したこともあり、1905年《ねん》に絶滅《ぜつめつ》

③今《いま》は……

天敵《てんてき》がいなくなったシカは、増《ふ》える一方《いっぽう》となり、今《こん》度《ど》は人間《にんげん》にも害《がい》を及《およ》ぼすようになった

住宅地《じゅうたくち》を
徘徊《はいかい》する妖怪《ようかい》は、
シカだった!

毎朝新聞

では確かに神《かみ》の使いとして保護《ほご》され、観光客《かんこうきゃく》もそ

友会《ゆうかい》の男性は「そ

化
解決《いけつ》！ 超常現象《ょうじょうげんしょう》ハンター

深夜《しんや》の住宅街《じゅうたくがい》を、赤《あか》い目《め》をした妖怪《ようかい》たちが練《ね》り歩《ある》く「百鬼夜行《ひゃっきやこう》」を目撃《もくげき》したという情報《じょうほう》を送《おく》ってくれた、奈良市《ならし》の魚山《うおやま》旬太《しゅんた》さん(10)。取材《しゅざい》すると、その正体《しょうたい》はシカの集団《しゅうだん》だと判明《はんめい》した。

奈良《なら》では、シカは神《かみ》の使《つか》いとして保護《ほご》される地《ち》区《く》があり、町《まち》のシンボルとして愛《あい》されている。しかし近年《きんねん》、繁殖《はんしょく》して増《ふ》えたシカたちが地区外《ちくがい》へと集団移動《しゅうだんいどう》し、今回《こんかい》のような騒《さわ》ぎが起《お》こる原因《げんいん》となっている。シカは一時《いちじ》期絶滅《ぜつめつ》の危機《きき》に瀕《ひん》していたが、天敵《てんてき》であるニホンオオカミの絶滅《ぜつめつ》や狩猟《しゅりょう》人口《じんこう》の減少《げんしょう》など様々《さまざま》な原因《げん》が重《かさ》なり、いまは数《かず》の増《ふ》えすぎが懸念《けねん》されている。エサを求《もと》めて植樹《しょくじゅ》された木を食《た》べてしまうなどの被害《ひがい》も増《ふ》えており、人間《にんげん》がどうシカと向《む》き合《あ》うべきか真剣《しんけん》に考《かんが》えるときが来《き》ている。

第五回《だいごかい》 「神《かみ》の使《つか》い」も場所《ばしょ》が変《か》われば厄介者《やっかいもの》？

シカがつけた傷跡《きずあと》を真剣《しんけん》に調査《ちょうさ》する謎野真実《なぞのしんじつ》(下)

ひとくちグルメ ME《メ》MO《モ》

塩《しお》でしめたサバやマスと酢飯《すめし》を柿《かき》の葉《は》で包《つつ》み、一口《ひとくち》で食《た》べられるようにした「柿《かき》の葉《は》ずし」。奈良《なら》では様々《さまざま》な柿《かき》の葉《は》ずしが販売《はんばい》されていて、食《た》べ比《くら》べも面白《おもしろ》い。(M・A)

そこから
長年《ながねん》の慣《かん》
ていると
にもいて
あける
さして
各地《かくち》
する

ぼく、駆除《くじょ》って言《い》い方《かた》、なんかイヤなんだよなあ。

害虫《がいちゅう》や、雑草《ざっそう》もそうだね。ぜんぶ、人間《にんげん》の都合《つごう》だもんね……。

駆除《くじょ》されてしまったシカを食《た》べたらいいのに、
って美希《みき》ちゃんに言《い》われたのにはハッとしたな。

私《わたし》もシカはかわいくて大好《だいす》きだけどね。
何《なん》にも活用《かつよう》されないのはもったいないと思《おも》ったから。

ジビエといって、シカやイノシシなど狩猟《しゅりょう》した野生動物《やせいどうぶつ》を、食《た》べたり、
革製品《かわせいひん》にしたりして余《あま》すことなくいただくという文化《ぶんか》もあるね。

焼《や》き肉《にく》もトンカツも唐揚《からあ》げも、おすしも大好《だいす》きだけど、あらためて、
人《ひと》はほかの生《い》き物《もの》の大切《たいせつ》な命《いのち》をもらって生《い》きてるんだって、
美希《みき》ちゃんの言葉《ことば》で気《き》づかされたよ。

でも本当《ほんとう》は、シカさんだって、革製品《かわせいひん》にもステーキにも
されたくないだろうし……。めちゃくちゃ難《むずか》しい問題《もんだい》だよね。

妖怪《ようかい》の取材《しゅざい》だと思《おも》ったら、
人間《にんげん》と動物《どうぶつ》との共生《きょうせい》の問題《もんだい》を考《かんが》えさせられる事件《じけん》だったね。

イルカの集団座礁《しゅうだんざしょう》事件《じけん》

超《ちょう》・自然現象《しぜんげんしょう》6

和歌山県《わかやまけん》

江古田《えこた》が手配《てはい》した新聞社《しんぶんしゃ》のヘリが、健太《けんた》たちを乗《の》せて太平洋《たいへいよう》に面《めん》した和歌山県《わかやまけん》の海岸《かいがん》へと飛《と》んだ。窓《まど》の外《そと》を見《み》た美希《みき》が声《こえ》をあげる。

「まるでジェットコースターみたい！　毎回《まいかい》これで移動《いどう》しましょうよ」

「美希《みき》ちゃん、今回《こんかい》は特別《とくべつ》なんだよ。上空《じょうくう》から取材《しゅざい》しなきゃいけない理由《りゆう》があるからなんだよ……。そろそろ海岸《かいがん》に着《つ》くぞ！」

江古田《えこた》はそう言《い》って、窓《まど》の外《そと》に望遠《ぼうえん》カメラを向《む》けた。

砂浜《すなはま》にいくつも大《おお》きな物体《ぶったい》が横《よこ》たわり、人々《ひとびと》が集《あつ》まっている様子《ようす》が上空《じょうくう》からも見《み》えた。

「あ、あれはイルカだ……。砂浜《すなはま》にイルカがたくさん打《う》ち上《あ》げられてるんだ！」

目《め》をこらした健太《けんた》は、驚《おどろ》いた。江古田《えこた》は険《けわ》しい表情《ひょうじょう》を浮《う》かべる。

「イルカが集団座礁《しゅうだんざしょう》しているんだ。いま、救助《きゅうじょ》チームが出動《しゅつどう》して、打《う》ち上《あ》げられたイルカたちを移送《いそう》しているそうだ」

ヘリから降《お》りた4人《にん》は砂浜《すなはま》へと移動《いどう》し、江古田《えこた》は取材《しゅざい》を始《はじ》めた。

海岸《かいがん》を歩《ある》く健太《けんた》、美希《みき》、真実《しんじつ》は目《め》の前《まえ》で起《お》きている、信《しん》じられない光景《こうけい》に言葉《ことば》を失《うしな》っていた。海岸《かいがん》のあちこちに、砂《すな》にまみれて、イルカが横《よこ》たわっている。救助《きゅうじょ》チームの人々《ひとびと》が必死《ひっし》に応急処置《おうきゅうしょち》や、移送《いそう》にあたっていた。

「……みんな、助《たす》かるかな。助《たす》かってほしい」

涙目《なみだめ》になっている健太《けんた》がつぶやいた。

そんななか、美希《みき》は、イルカを救助《きゅうじょ》する人《ひと》の中《なか》に見覚《みおぼ》えのある顔《かお》を見《み》つけた。

「あ、獣医《じゅうい》のモリー先生《せんせい》だ！」

北海道《ほっかいどう》でキタキツネの介抱《かいほう》をしていた、獣医師《じゅういし》のモリーがいたのだ。

美希《みき》の声《こえ》に顔《かお》をあげたモリーは、大粒《おおつぶ》の汗《あせ》をぬぐって笑《え》みを見《み》せた。

「近《ちか》くの動物《どうぶつ》の回診《かいしん》に来《き》たらこの騒《さわ》ぎに出《で》くわして、私《わたし》も手伝《てつだ》ってるの。海《うみ》に戻《もど》そうとしても暴《あば》れてしまうから、まず水族館《すいぞくかん》で保護《ほご》するの」

「モリー先生《せんせい》、なぜこんなにイルカが打《う》ち上《あ》げられたんですか？」

美希《みき》に質問《しつもん》されたモリーは、視線《しせん》をあげ、ふと深刻《しんこく》な表情《ひょうじょう》になった。

「……私《わたし》にはわからない。ごめん、時間《じかん》がないから、急《いそ》ぐね」

クジラ、イルカの座礁《ざしょう》

ふだん海中《かいちゅう》で生活《せいかつ》しているクジラやイルカが、海岸《かいがん》などに生《い》きたまま打《う》ち上《あ》げられてしまうこと。群《む》れで生活《せいかつ》するクジラやイルカが一《ひと》つの場所《ばしょ》に多数《たすう》座礁《ざしょう》することを「集団座礁《しゅうだんざしょう》」という。

モリーはあわてた様子《ようす》で、作業《さぎょう》へと戻《もど》っていった。

「おや、知《し》り合《あ》いがいたのかい？」

と、取材中《しゅざいちゅう》の江古田《えこた》がやってきた。健太《けんた》は、以前会《いぜんあ》ったことのある獣医師《じゅういし》がいたことを説明《せつめい》した。

現場《げんば》で写真《しゃしん》を撮《と》って、取材《しゅざい》を終《お》えた美希《みき》たちは、地元《じもと》の食堂《しょくどう》で江古田《えこた》に和歌山《わかやま》ラーメンをごちそうになった。美希《みき》たちは、女性店主《じょせいてんしゅ》に町《まち》のことを聞《き》いた。

「ヘリでこの町《まち》に来《き》るときに、建設中《けんせつちゅう》の建物《たてもの》が見《み》えました。今度《こんど》、大《おお》きなショッピングセンターができるんですね」

「らしいけど、もうどうでもええよ。うちらの知《し》り合《あ》いは、みんな町《まち》を出《で》てもうたからね。イルカも打《う》ち上《あ》げられるし……この町《まち》は、呪《のろ》われてるんよ」

「え、呪《のろ》われてる？」と、健太《けんた》は思《おも》わずつぶやいた。

和歌山《わかやま》ラーメン
ストレートのめんに、醤《しょう》油系《ゆけい》、とんこつ醤《しょう》油系《ゆけい》などのスープが特徴《とくちょう》のご当地《とうち》ラーメン。

「……ヨチキ様《さま》が言《い》うとおりや。ここはもう神《かみ》に見放《みはな》された土地《とち》なんよ」

「あの、そのヨチキサマというのは？」

「あ、私《わたし》、ちょっとしゃべりすぎたみたいやわ、明日《あす》の仕込《しこ》みをせんと」

女性店主《じょせいてんしゅ》は急《きゅう》に顔色《かおいろ》を変《か》えて、真実《しんじつ》の質問《しつもん》に答《こた》えずにそそくさと厨房《ちゅうぼう》に戻《もど》ってしまった。

「店主《てんしゅ》のおびえ方《かた》が、気《き》になりますね……ヨチキ様《さま》とは何者《なにもの》でしょう」

真実《しんじつ》の声《こえ》に、江古田《えこた》は早速《さっそく》、イルカの集団座礁《しゅうだんざしょう》の取材《しゅざい》に来《き》ていた知《し》り合《あ》いの地元記者《じもときしゃ》を呼《よ》び出《だ》してくれた。

すぐに店《みせ》にやってきた記者《きしゃ》は、少《すこ》し言《い》いにくそうにヨチキについて話《はなし》をした。

「ヨチキ様《さま》のことですか……。彼《かれ》は予言者《よげんしゃ》と呼《よ》ばれ、地元《じもと》であがめられているんですよ。この町《まち》で何度《なんど》もイルカの集団座礁《しゅうだんざしょう》が起《お》きているんですが、毎回《まいかい》、起《お》きる日《ひ》までピタリと予言《よげん》しているんです。権力者《けんりょくしゃ》にも彼《かれ》の支援者《しえんしゃ》は多《おお》く、性格《せいかく》もとても気難《きむずか》しいので、地元《じもと》のみんなからは恐《おそ》れられていますね」

「イルカの集団座礁《しゅうだんざしょう》する日《ひ》を予言《よげん》!?」

健太《けんた》は驚《おどろ》きの声《こえ》をあげた。美希《みき》も、怖気立《おぞけだ》った。

何《なに》やらじっと考《かんが》えていた真実《しんじつ》は、地元記者《じもときしゃ》に告《つ》げる。

「ぜひとも、そのヨチキという方《かた》にお会《あ》いしたいのですが」

「一度取材《いちどしゅざい》したことがあるので紹介《しょうかい》してもよいですが、非常《ひじょう》に厄介《やっかい》な人《ひと》ですよ」


真実《しんじつ》たちは記者《きしゃ》に礼《れい》を言《い》い、ヨチキが住《す》むという家《いえ》に向《む》かった。

そこは、大《おお》きな日本庭園《にほんていえん》を備《そな》えた和風建築《わふうけんちく》の大豪邸《だいごうてい》だった。通《とお》されたリビングは床《ゆか》に大理《だいり》石《せき》が敷《し》き詰《つ》められ、大《おお》きな黄金《おうごん》の竜《りゅう》の掛《か》け軸《じく》が飾《かざ》られている。

ソファで待《ま》っていると、ブレザーの制服姿《せいふくすがた》の中学生《ちゅうがくせい》がやってきた。

「余地気数矢《よちきかずや》です。ようこそ」

ヨチキは涼《すず》しげに笑《わら》って、サラサラの髪《かみ》をかきあげる。

「え、こんな若《わか》い人《ひと》が予言者《よげんしゃ》なんだ」

健太《けんた》は思《おも》わず声《こえ》に出《だ》してつぶやいた。

「フフッ、ぼくを予言者《よげんしゃ》と呼《よ》ぶ人《ひと》がいますが、ぼくはただ耳《みみ》をすまして、神《かみ》の声《こえ》を聞《き》き、それを皆《みな》さまに伝《つた》えているだけですよ」

リビングの大《おお》きな水槽《すいそう》には土《つち》が詰《つ》められ、中《なか》でたくさんのアリが動《うご》いている。

「アリの巣《す》の観察《かんさつ》が好《す》きでね。勤勉《きんべん》だといわれている働《はたら》きアリの集団《しゅうだん》にも、つねに2割程度《わりていど》の働《はたら》かないアリがいるんですよ。でも働《はたら》くアリだけを集《あつ》めて飼育《しいく》ケースに入《い》れても、そこでも必《かなら》ず働《はたら》かないアリが出《で》てくる。人《ひと》も同《おな》じ。集団《しゅうだん》になると、すぐなまける。だからぼくは予言《よげん》で警告《けいこく》してあげてるんです。みんながなまけないようにね。フフフ」

（たしかに、みんなと一緒《いっしょ》にいると、ついなまけちゃうんだよなあ）

健太《けんた》は、ヨチキに自分《じぶん》のことを言《い》われたようで、ドキリとした。

アリのいる水槽《すいそう》を眺《なが》めていた真実《しんじつ》が、おもむろに口《くち》を開《ひら》く。

「一定《いってい》の割合《わりあい》で働《はたら》かないアリがいるのは、集団《しゅうだん》を維持《いじ》するための仕組《しく》みだともいわれていますよ。別《べつ》の仕事《しごと》が生《しょう》じたときに、すぐ対応《たいおう》するためだとか」

働《はたら》きアリ
アリはハチのように集《しゅう》団《だん》をつくり、女王《じょおう》アリや働《はたら》きアリといった役《やく》割《わり》を持《も》った「社会的昆《しゃかいてきこん》虫《ちゅう》」である。働《はたら》きアリのうち2割《わり》がよく働《はたら》くアリ、6割《わり》が普通《ふつう》に働《はたら》くアリ、2割《わり》がサボっているアリになるという「働《はたら》きアリの法則《ほうそく》」が有名《ゆうめい》。よく働《はたら》くアリが疲《つか》れて休《やす》むと、サボっていたアリが代《か》わりに働《はたら》きだす、という研究結果《けんきゅうけっか》もある。

ヨチキは、イラッとして顔《かお》をしかめ、真実《しんじつ》を見《み》た。真実《しんじつ》は、ヨチキを鋭《するど》く見返《みかえ》した。

「もし本当《ほんとう》に、あなたに神《かみ》の声《こえ》が聞《き》こえるなら、住民《じゅうみん》を怖《こわ》がらせるのではなく、安心《あんしん》させるような言葉《ことば》をかけるべきではないでしょうか？」

ヨチキの顔《かお》が、怒《いか》りで赤《あか》くなった。

「ぼくに意見《いけん》するとは生意気《なまいき》だぞ。ぼくは、神《かみ》の啓示《けいじ》を伝《つた》えるだけだが、ぼくにたてつくのは神《かみ》にたてつくも同然《どうぜん》だ。キミは絶対《ぜったい》に地獄《じごく》に落《お》ちるだろう！」

ヨチキは真実《しんじつ》を指《ゆび》さして言《い》った。

険悪《けんあく》な雰囲気《ふんいき》になり、ヨチキは質問《しつもん》にも答《こた》えなくなったので、真実《しんじつ》たちは仕方《しかた》なく屋敷《やしき》を後《あと》にした。

「ヨチキくんってほんとに予知能力《よちのうりょく》がありそうだよね。すごくミステリアスで」

帰《かえ》り道《みち》、そう言《い》った健太《けんた》に、真実《しんじつ》は考《かんが》えを口《くち》にした。

「彼《かれ》が予言《よげん》できる事柄《ことがら》は、なぜかイルカのことに限《かぎ》られている……。裏《うら》に何《なに》かないか、じっくり検討《けんとう》する必要《ひつよう》があるよ」

翌日《よくじつ》、真実《しんじつ》たちはヨチキが、支援者《しえんしゃ》たちの前《まえ》で新《あら》たな予言《よげん》をしたことを知《し》った。

江古田《えこた》が、予言《よげん》の内容《ないよう》を教《おし》えてくれた。

「来週《らいしゅう》の日曜日《にちようび》、また大量《たいりょう》のイルカが打《う》ち上《あ》げられるって予言《よげん》したそうだ。この土地《とち》にいると、いずれ死《し》ぬってね。恐怖《きょうふ》をあおって、おびえたたくさんの住民《じゅうみん》がまた引《ひ》っ越《こ》しを決《き》めたらしいよ」

「またイルカについての予言《よげん》だ……。真実《しんじつ》くんが言《い》うとおりだ。怪《あや》しいね」

健太《けんた》の言葉《ことば》に、真実《しんじつ》はうなずく。4人《にん》は、イルカが打《う》ち上《あ》げられた浜辺《はまべ》に足《あし》を運《はこ》んだ。

浜辺《はまべ》を歩《ある》いていて、健太《けんた》は海《うみ》にペットボトルなどのごみがたくさん浮《う》かんでいることに気《き》づいた。砂浜《すなはま》にも、ごみが捨《す》てられている。

「きれいな海《うみ》と思《おも》ってたけど、結構《けっこう》、ごみがたくさんあるね……」

「イルカ騒動《そうどう》の前《まえ》の日《ひ》には花火大会《はなびたいかい》があって、人《ひと》も大勢《おおぜい》来《き》ていたらしいよ」

そう言《い》った美希《みき》は、ふと疑問《ぎもん》を口《くち》にした。

「でも、そもそも、なんでイルカが大量《たいりょう》に打《う》ち上《あ》げられるのかな？」

「イルカって、すごく聴力《ちょうりょく》が発達《はったつ》してて、超音波《ちょうおんぱ》とかで仲間《なかま》と交信《こうしん》したり、海中《かいちゅう》のいろんな情報《じょうほう》をキャッチしたりしてるんだよ……。あ、もしかして、この海《うみ》の汚染《おせん》が原因《げんいん》で、イルカたちは暴走《ぼうそう》したのかも」

そう健太《けんた》は語《かた》った。そこに、聞《き》き込《こ》みをしていた江古田《えこた》が戻《もど》ってきた。

「地元《じもと》の漁師《りょうし》さんに聞《き》いたんだが、イルカが集団座礁《しゅうだんざしょう》したときは魚《さかな》も捕《と》れなくなるし、たまに魚《さかな》が死《し》んで浮《う》かんでいることもあったらしい。あと、この海辺《うみべ》ではよく花火大会《はなびたいかい》があるが、不思議《ふしぎ》なことに翌日《よくじつ》、必《かなら》ずイルカが打《う》ち上《あ》げられるとのことだ……」

真実《しんじつ》は、ハッとして江古田《えこた》に伝《つた》えた。

「江古田《えこた》さん、それらの花火大会《はなびたいかい》について、日程《にってい》をくわしく確認《かくにん》できるでしょうか」

江古田《えこた》は自分《じぶん》のタブレットで、過去《かこ》にイルカが打《う》ち上《あ》げられた日《ひ》を調《しら》べた。

「ん……、たしかに集団座礁《しゅうだんざしょう》の前《まえ》の日《ひ》には、花火大会《はなびたいかい》が行《おこな》われている！　しかも、主催《しゅさい》しているのは、あのヨチキの父親《ちちおや》だ」

ヨチキの家《いえ》は不動産業《ふどうさんぎょう》を営《いとな》む資産家《しさんか》で、ときどき地元《じもと》の人《ひと》を楽《たの》しませるため、ポケットマネーで大規模《だいきぼ》な花火大会《はなびたいかい》をやるのだという。

それを聞《き》いた真実《しんじつ》は、口元《くちもと》に手《て》を当《あ》て、静《しず》かに考《かんが》え始《はじ》めた。

ヨチキがイルカの打《う》ち上《あ》げを予言《よげん》した日《ひ》が近《ちか》づいた。すると、不動産業《ふどうさんぎょう》を経営《けいえい》するヨチキの父親《ちちおや》がまた花火大会《はなびたいかい》をやることを告知《こくち》した。健太《けんた》は、驚《おどろ》いた。

「イルカが打《う》ち上《あ》げられると予告《よこく》された前日《ぜんじつ》に、また花火大会《はなびたいかい》をやるんだ！」

「プンプンにおうね……。ぜったい尻尾《しっぽ》を捕《つか》まえてやるからっ」

健太《けんた》と美希《みき》の言葉《ことば》を受《う》けた真実《しんじつ》は、うなずいて言《い》った。

「よし、相手《あいて》に気《き》づかれないよう、調査《ちょうさ》することにしよう」


花火大会当日《はなびたいかいとうじつ》の夜《よる》。江古田《えこた》が取材《しゅざい》で知《し》り合《あ》った地元《じもと》の漁師《りょうし》に船《ふね》を出《だ》してもらい、真実《しんじつ》たちはこっそりと海《うみ》に出《で》た。健太《けんた》が、海上《かいじょう》に何《なに》かを見《み》つけた。

「あ、あそこにナゾの船《ふね》が浮《う》かんでいるよ！」

「あれは、ヨチキさんの親《おや》の持《も》ってる船《ふね》やな」

地元《じもと》の漁師《りょうし》は言《い》った。よく見《み》ると、沖《おき》には複数《ふくすう》の船《ふね》がいて、海中《かいちゅう》に何《なに》か機械《きかい》を浮《う》かべている。スキューバダイビングのウェットスーツ姿《すがた》の美希《みき》が言《い》った。

「何《なに》をたくらんでるか、たしかめてくる。趣味《しゅみ》でスキューバもやってる私《わたし》にまかせて。自信《じしん》あるんだ！　水中《すいちゅう》カメラでバッチリとおさえてくるから」

美希《みき》は、防水仕様《ぼうすいしよう》のデジカメを手《て》に、海《うみ》の中《なか》をゆっくりと進《すす》んでいった。

だんだんと、船《ふね》に近《ちか》づいていく。船《ふね》には数人《すうにん》の男《おとこ》たちがいて、船《ふね》から海中《かいちゅう》に何《なに》か機械《きかい》を下《お》ろしていた。

美希《みき》が近《ちか》づこうとしたとき、上空《じょうくう》で花火《はなび》が打《う》ち上《あ》がった。一気《いっき》に、カラフルな光《ひかり》が、真《ま》っ黒《くろ》な海《うみ》を彩《いろど》る。そのときだった。

ドォゴオオオン!!!　ドォゴオオオーン!!!

花火《はなび》が連発《れんぱつ》する音《おと》と同時《どうじ》に、海中《かいちゅう》ですさまじい爆音《ばくおん》が何度《なんど》もする。美希《みき》は、激《はげ》しい耳鳴《みみな》りに襲《おそ》われた。真実《しんじつ》や健太《けんた》たちも、花火《はなび》と違《ちが》う爆音《ばくおん》に気《き》づく。耐《た》えられず自分《じぶん》の船《ふね》に戻《もど》った美《み》希《き》を、江古田《えこた》があわてて引《ひ》き上《あ》げた。

「おい、美希《みき》ちゃん、大丈夫《だいじょうぶ》か!?」

「耳鳴《みみな》りはするけど、大丈夫《だいじょうぶ》です。でもなに!?　海《うみ》の中《なか》で聞《き》こえたあの爆音《ばくおん》は」

「あの複数《ふくすう》の船《ふね》から出《で》てるみたいだね。とりあえず、ここは危険《きけん》だ。ひとまず離《はな》れよう」

「え、真実《しんじつ》くん、まだ写真《しゃしん》がちゃんと撮《と》れてないんだけど」

「いや、美希《みき》さん、この爆音《ばくおん》に気《き》づけただけで大収穫《だいしゅうかく》だよ。一足先《ひとあしさき》に港《みなと》に戻《もど》って、ヨチキ家《け》の船《ふね》が戻《もど》るのを待《ま》ちぶせすることにしよう」


1時間後《じかんご》、4人《にん》は港《みなと》に戻《もど》ったヨチキ家《け》の船《ふね》に忍《しの》び込《こ》んだ。そこには、大《おお》きな円柱形《えんちゅうけい》の不《ふ》思議《しぎ》な機械《きかい》が転《ころ》がっていた。江古田《えこた》が驚《おどろ》きの声《こえ》をあげた。

「これは、たしかサイズミックエアガンだ……。以前取材《いぜんしゅざい》したことがあるぞ」

「やはり、そうだったか。科学《かがく》で解《と》けないナゾはない。イルカが集団座礁《しゅうだんざしょう》したのは、この機《き》械《かい》のせいでまず間違《まちが》いないだろうね」

「どういうこと？　そのサイズミックナントカって何《なん》の機械《きかい》なの？」

健太《けんた》は、真実《しんじつ》の言葉《ことば》に戸惑《とまど》いを隠《かく》せなかった。

イルカのある能力《のうりょく》を狂《くる》わせるんだ

解《かい》決《けつ》編《へん》

イルカの集団座礁《しゅうだんざしょう》はサイズミックエアガンのしわざだと言《い》う真実《しんじつ》。

江古田《えこた》は、記憶《きおく》をたどりながら説明《せつめい》を始《はじ》めた。

「昔《むかし》、取材《しゅざい》したことがある。海底《かいてい》に資源《しげん》などがないか調《しら》べるため、圧《あっ》縮《しゅく》した空気《くうき》を放《はな》って人工的《じんこうてき》に『地震波《じしんは》』を発生《はっせい》させる装置《そうち》だよ[5]。そして、これはものすごい音《おと》を発生《はっせい》させるんだ。その大《おお》きさは260デシベルに達《たっ》するといわれていて、スペースシャトル打《う》ち上《あ》げ時《じ》の音《おと》、約《やく》160デシベルよりはるかに大《おお》きいんだよ」

真実《しんじつ》はうなずいて、続《つづ》けた。

「イルカの座礁《ざしょう》についてはけがや病気《びょうき》、寄生虫《きせいちゅう》のため体力《たいりょく》を失《うしな》ったり方《ほう》向感覚《こうかんかく》を失《うしな》ったりしたためという説《せつ》や、イルカが方向感覚《ほうこうかんかく》を失《うしな》いやすい地形《ちけい》があるためという説《せつ》など、様々《さまざま》な原因《げんいん》が指摘《してき》されている。そのなかの一《ひと》つに、船《ふね》が発《はっ》するソナーや、地質調査《ちしつちょうさ》で行《おこな》われる人工地震波《じんこうじしんは》の影《えい》響説《きょうせつ》があるんだ」

健太《けんた》は聞《き》き慣《な》れない言葉《ことば》に、首《くび》をかしげて質問《しつもん》する。

イルカの集団座礁《しゅうだんざしょう》の原因《げんいん》
集団《しゅうだん》で座礁《ざしょう》するのは社会性《しゃかいせい》の強《つよ》いイルカやクジラが多《おお》い。群《む》れで生活《せいかつ》しているイルカやクジラは、群《む》れの1頭《とう》がなんらかの理由《りゆう》で弱《よわ》るなどして迷《まよ》ってしまうと群《む》れ全体《ぜんたい》がそれに引《ひ》きずられ、集団座《しゅうだんざ》礁《しょう》してしまうともいわれている。

5…海底《かいてい》を調《しら》べるサイズミックエアガン

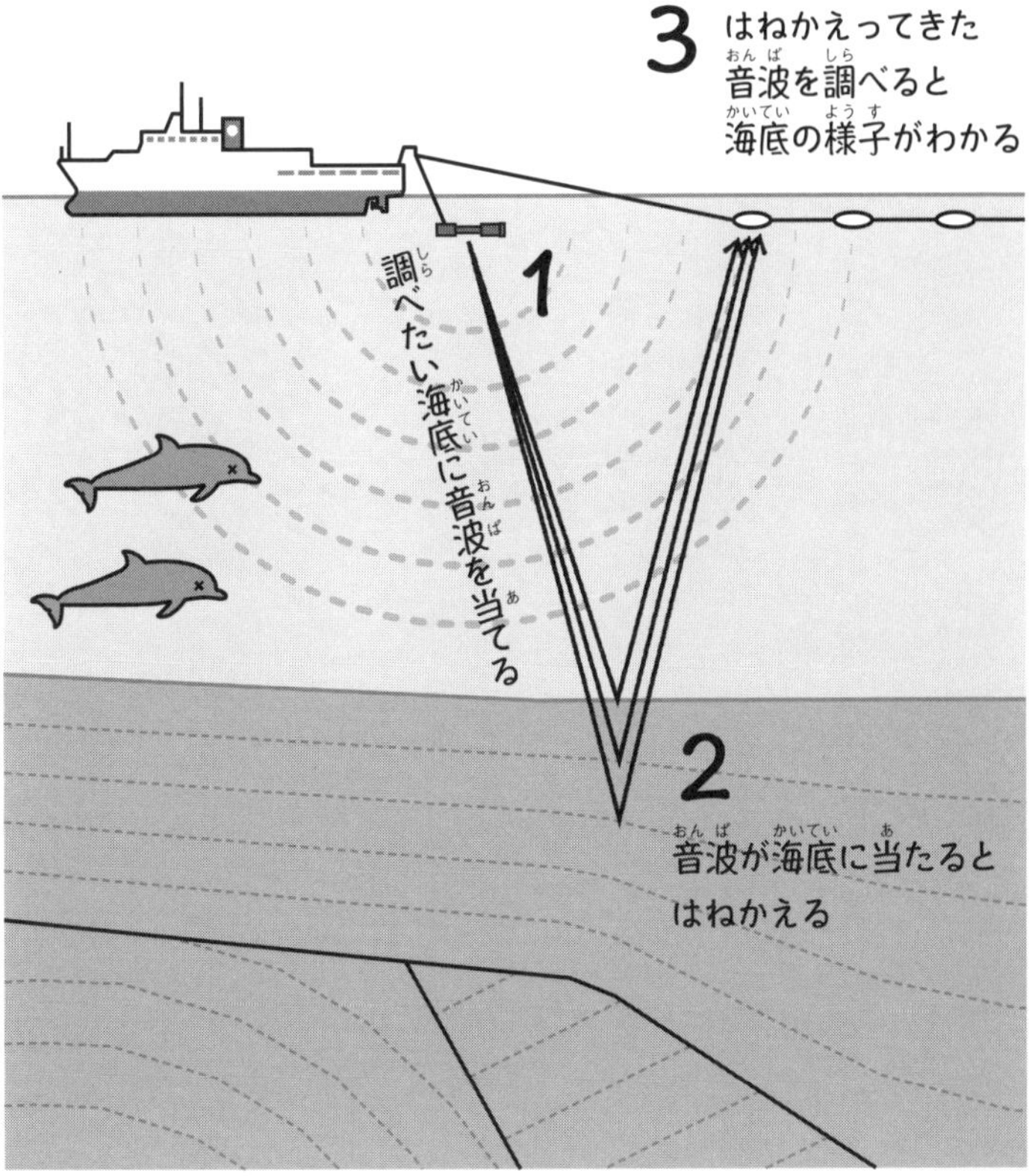

「そなー？　じしんは⁉」

「どちらも音《おと》を鳴《な》らし、海底《かいてい》の反響《はんきょう》によって水中捜索《すいちゅうそうさく》をするための装置《そうち》だよ。サイズミックエアガンはそのなかでも、非常《ひじょう》に強力《きょうりょく》な装置《そうち》なんだ」

「なぜ※その機械《きかい》を使《つか》うと、イルカたちは暴走《ぼうそう》してしまうの⁉」

美希《みき》は、真実《しんじつ》にたずねた。

「クジラやイルカは非常《ひじょう》に聴覚《ちょうかく》が発達《はったつ》していて、視覚《しかく》の代《か》わりに使用《しよう》している。だから爆音《ばくおん》を出《だ》すエアガンは本来《ほんらい》、クジラやイルカに影響《えいきょう》を及《およ》ぼさないよう慎重《しんちょう》に使《つか》われているものだ。それを何度《なんど》も何度《なんど》も使《つか》われたら、イルカたちはその敏感《びんかん》な聴覚《ちょうかく》がまひして、機能《きのう》が停止《ていし》してしまうんだ。感覚《かんかく》がおかしくなって、暴走《ぼうそう》して浅瀬《あさせ》に侵入《しんにゅう》してしまうことも十分《じゅうぶん》に考《かんが》えられる……」

江古田《えこた》は、真実《しんじつ》の推理《すいり》に驚《おどろ》きながらも言《い》った。

「予言者《よげんしゃ》のヨチキ少年《しょうねん》がイルカの集団座礁《しゅうだんざしょう》を予言《よげん》した日《ひ》の前日《ぜんじつ》に、父親《ちちおや》たちが船《ふね》を出《だ》して、サイズミックエアガンで爆音《ばくおん》を何度《なんど》も鳴《な》らして意図的《いとてき》にイルカのセンサーを誤作動《ごさどう》させ、暴走《ぼうそう》させた。そういうことだね」

※ここに出《で》てくるようなサイズミックエアガンの使《つか》い方《かた》は、適切《てきせつ》ではありません。

「ええ、花火大会《はなびたいかい》は、その爆音《ばくおん》をカムフラージュするためだったんでしょう」

そう、真実《しんじつ》は語《かた》る。

健太《けんた》は、海《うみ》の中《なか》で苦《くる》しむイルカやほかの魚《さかな》たちの姿《すがた》を想像《そうぞう》して、いきどおった。

「そんな爆音《ばくおん》を、海中《かいちゅう》で何度《なんど》も鳴《な》らすなんて、ひどすぎるよ……」

翌日《よくじつ》、真実《しんじつ》たちは江古田《えこた》とともに、再《ふたた》び予言者《よげんしゃ》ヨチキの家《いえ》を訪《たず》ねた。

江古田《えこた》がヨチキたちの船《ふね》に積《つ》んであった機械《きかい》の写真《しゃしん》を見《み》せると、ヨチキと、不動産業《ふどうさんぎょう》を営《いとな》む父親《ちちおや》の顔色《かおいろ》が変《か》わった。真実《しんじつ》は言《い》う。

「これは本来《ほんらい》ならあなたたちには不要《ふよう》なはずの、海底資源調査《かいていしげんちょうさ》などで使用《しよう》するサイズミックエアガンです。あなたたちはこれを使用《しよう》して、イルカの集団座礁《しゅうだんざしょう》を起《お》こしましたね？」

ヨチキと父親《ちちおや》は顔《かお》をしかめ、黙《だま》り込《こ》んだ。続《つづ》けて真実《しんじつ》は語《かた》りかけた。

「あなたたちは、イルカが集団座礁《しゅうだんざしょう》した前日《ぜんじつ》に、決《き》まって花火大会《はなびたいかい》を開催《かいさい》していますよね」

「……。地元《じもと》のみんなを楽《たの》しませるためやないか」

ヨチキの父親《ちちおや》は、なんとか口《くち》を開《ひら》いて答《こた》えた。だが真実《しんじつ》はさらに追及《ついきゅう》する。

「いえ、花火《はなび》の音《おと》にまぎらわせて、サイズミックエアガンで爆音《ばくおん》を鳴《な》らすためですよね？　だから毎回《まいかい》、花火大会《はなびたいかい》の翌日《よくじつ》にイルカの集団座礁《しゅうだんざしょう》が起《お》きている」

ヨチキの父親《ちちおや》は、何《なに》か言《い》おうとするが、言葉《ことば》が出《で》てこない。

予言者《よげんしゃ》のヨチキは、たまらず不安《ふあん》そうに父《ちち》を見《み》た。

「父《とう》さん、何《なに》か、こいつに言《い》い返《かえ》したってよ」

しかし、ヨチキの父親《ちちおや》は震《ふる》えるばかりで、言葉《ことば》を返《かえ》せない。

厳《きび》しい表情《ひょうじょう》の真実《しんじつ》は、ヨチキと、父親《ちちおや》のことを鋭《するど》く見《み》すえた。

「あなたたちは住民《じゅうみん》たちに呪《のろ》われた町《まち》だと信《しん》じ込《こ》ませて追《お》い出《だ》し、誰《だれ》もいなくなった土地《とち》を安《やす》く手《て》に入《い》れ、巨大《きょだい》ショッピングセンターに売《う》って巨額《きょがく》の利益《りえき》を得《え》た。自分《じぶん》たちが楽《らく》して働《はたら》かないアリでいるため、地元《じもと》の人々《ひとびと》をあざむき、利用《りよう》した。違《ちが》いますか？」

「……しょ、証拠《しょうこ》でもあんのか!?」

ヨチキの父親《ちちおや》は、震《ふる》えながら必死《ひっし》に笑顔《えがお》を作《つく》って続《つづ》けた。

「大体《だいたい》、サイズミックエアガン……そんなもの何台《なんだい》も購入《こうにゅう》する資金《しきん》が、地方《ちほう》の不動産屋《ふどうさんや》のオレたちにあると思《おも》うんか??」

健太《けんた》は悔《くや》しくて、何《なに》か言《い》い返《かえ》してくれないかと真実《しんじつ》を見《み》た。真実《しんじつ》はつぶやいた。

「たしかに。石油《せきゆ》を調査《ちょうさ》する国《くに》や、大企業《だいきぎょう》でしか買《か》えないような機器《きき》を、何台《なんだい》も所有《しょゆう》しているのはおかしい」

「ほうら、見《み》たことか！　これでオレたちの潔白《けっぱく》は証明《しょうめい》されたわ。フハハハ」

急《きゅう》に強気《つよき》になったヨチキの父親《ちちおや》は、高笑《たかわら》いした。

だが江古田《えこた》は、ヨチキの父親《ちちおや》をしっかりと見《み》つめ、語《かた》った。

「私《わたし》は昔《むかし》、この町《まち》にある新聞社《しんぶんしゃ》の支社《ししゃ》に勤《つと》めていた。死《し》んだ娘《むすめ》との思《おも》い出《で》もいっぱい詰《つ》まった大好《だいす》きな町《まち》です。古来《こらい》、海《うみ》から恵《めぐ》みをもらい、海《うみ》を大事《だいじ》にする素敵《すてき》な町《まち》だった。それをあなたたちは自分《じぶん》の利益《りえき》のため、住民《じゅうみん》の心《こころ》を操《あやつ》ってズタズタにした。私《わたし》は、あなたたちのしたことを記事《きじ》にします」

「……やってみろ、大《おお》きな相手《あいて》を敵《てき》に回《まわ》すぞ。命《いのち》が惜《お》しくないなら書《か》いてみろ」

そう言《い》ってヨチキの父親《ちちおや》は、江古田《えこた》たちを追《お》い出《だ》した。

「大《おお》きな相手《あいて》を敵《てき》に回《まわ》すって、自分《じぶん》たちがものすごいということを言《い》ってたのかな。それとも、あの人《ひと》たちのうしろにもっと大《おお》きな相手《あいて》がいるっていうこと？」

帰《かえ》る途中《とちゅう》、そう疑問《ぎもん》を口《くち》にする健太《けんた》に、江古田《えこた》は笑《わら》って答《こた》える。

「どうせ虚言《きょげん》だ。自分《じぶん》たちを大《おお》きく見《み》せようと脅迫《きょうはく》まがいのことを言《い》っただけさ。よし、みんなが花森町《はなもりちょう》に戻《もど》る前《まえ》に、和歌山《わかやま》ラーメンをまたごちそうするよ！」

6

SCIENCE TRICK DATA FILE

科学《かがく》トリック データファイル

イルカの不《ふ》思《し》議《ぎ》

イルカは海《うみ》の中《なか》で暮《く》らしていますが、魚《さかな》ではなく人間《にんげん》と同《おな》じ哺《ほ》乳《にゅう》類《るい》の一種《いっしゅ》です。なかでも、カバに近《ちか》い生物《せいぶつ》であることがわかっています。海《うみ》で暮《く》らすようになり、魚《さかな》のような形《かたち》に進化《しんか》したのです。クジラも同《おな》じく海中《かいちゅう》で暮《く》らす哺乳類《ほにゅうるい》ですが、実《じつ》はイルカとは同《おな》じ仲《なか》間《ま》。大《おお》きさによって名前《なまえ》が違《ちが》うだけです。

イルカの秘密《ひみつ》、いろいろ

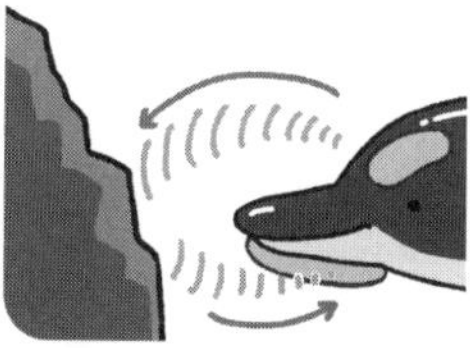

下《した》あごで音《おと》を感《かん》じている

イルカは頭部《とうぶ》から超音波《ちょうおんぱ》を出《だ》し、跳《は》ね返《かえ》ってきた音《おと》を下《した》あごで感《かん》じて物《もの》の形《かたち》や距離《きょり》を認識《にんしき》している

半分《はんぶん》ずつ目《め》を閉《と》じて眠《ねむ》る

このとき、脳《のう》は半分《はんぶん》だけ眠《ねむ》っている状態《じょうたい》。緊急時《きんきゅうじ》にすぐ対応《たいおう》できるように、脳《のう》は半分《はんぶん》起《お》きている

2時間《じかん》で肌《はだ》が入《い》れ替《か》わる

水《みず》の抵抗《ていこう》を少《すく》なくするため肌《はだ》がツルツルしている。そのため約《やく》2時間《じかん》に1回《かい》、新《あたら》しい皮膚《ひふ》ができるとされている

クジラとは大《おお》きさが違《ちが》うだけ

クジラはヒゲクジラとハクジラに大別《たいべつ》される。ハクジラのうち4〜6メートルより小《ちい》さいものをイルカ（イラスト一番下《いちばんした》）と呼《よ》ぶ

毎朝新聞

リコプターから見たデ
これまで見たこともない

女性獣《じょせいじゅう》医師も懸

…化

…決《けつ》!超常現象《ちょうじょうげんしょう》ハンター

和歌山《わかやま》で頻繁《ひんぱん》に起《お》こっていた、イルカの集団《しゅうだん》座《ざ》礁《しょう》事件《じけん》。取材《しゅざい》を進《すす》めるうちに、背後《はいご》に悪質《あくしつ》な地《じ》元《もと》の不動産《ふどうさん》業者《ぎょうしゃ》の存在《そんざい》が浮《う》かび上《あ》がった。海底《かいてい》調《ちょう》査《さ》に使《つか》われるサイズミックエアガンを使《つか》って、聴《ちょう》力《りょく》が発達《はったつ》したイルカたちのセンサーを狂《くる》わせていたのだ。昔《むかし》からイルカとの縁《えん》が深《ふか》い和歌山《わかやま》で、イルカたちに被害《ひがい》を与《あた》えた彼《かれ》らのやり方《かた》は許《ゆる》されない。一方《いっぽう》で、イルカを傷《きず》つける意図《いと》がなくても海洋《かいよう》調《ちょう》査《さ》のために海中《かいちゅう》で音《おと》を鳴《な》らすことがあり、

決定的《けっていてき》な証拠《しょうこ》をつきつけられ
焦《あせ》る地元《じもと》の不動産業者《ふどうさんぎょうしゃ》

第六回《だいろっかい》 海中《かいちゅう》の騒音《そうおん》 イルカを傷《きず》つける?

イルカやクジラの健康《けんこう》に影響《えいきょう》が出《で》ているという指《し》摘《てき》もある。集団《しゅうだん》で座礁《ざしょう》するイルカは、社会性《しゃかいせい》が強《つよ》い種類《しゅるい》が多《おお》い。1頭《とう》が迷《まよ》ってしまうと、ほかの群《む》れもその1頭《とう》についていってしまうのだ。海《かい》中《ちゅう》での活動《かつどう》がイルカやクジラを傷《きず》つけていないか、よく検証《けんしょう》する必要《ひつよう》がある。

ひとくちグルメMEMO《メモ》

地元《じもと》では「中華《ちゅうか》そば」と呼《よ》ばれる、和歌山《わかやま》ラーメン。私《わたし》たちが食《た》べたのはとんこつ醤油《しょうゆ》ベースのスープだが、ほかにもいろいろな味《あじ》の系統《けいとう》があるという。全種類《ぜんしゅるい》チャレンジしてみたい。(M・A)

をしなけ
家《か》の意見《いけん》
れるとき
ではどの
「もと
進《すす》んだ
むりに
ふき

自然《しぜん》に起《お》きるイルカの集団座礁《しゅうだんざしょう》って、ナゾが多《おお》いんだよね。

今回《こんかい》は、あくどい人《ひと》たちが意図的《いとてき》に、海底調査《かいていちょうさ》を行《おこな》う特殊《とくしゅ》な機械《きかい》で
何度《なんど》も爆音《ばくおん》を鳴《な》らして、イルカを混乱《こんらん》させたのが原因《げんいん》だったけどね。

でもぼく、動物《どうぶつ》たちが地球《ちきゅう》の地震《じしん》とか異変《いへん》や危機《きき》を察知《さっち》して、
混乱《こんらん》して座礁《ざしょう》するという場合《ばあい》もあると思《おも》うんだよなあ。

タイで大《おお》きな地震《じしん》が起《お》きたとき、観光客《かんこうきゃく》を乗《の》せていたゾウたちが
高台《たかだい》に走《はし》りだして、そのあとすぐに津波《つなみ》がやってきたことがあったそうだ。
動物《どうぶつ》は聴力《ちょうりょく》が発達《はったつ》していたり、外界《がいかい》への異変《いへん》にとても敏感《びんかん》だったりするから、
そういう能力《のうりょく》があるのかもしれないね。

私《わたし》も授業中《じゅぎょうちゅう》、お昼《ひる》が近《ちか》づいてくると、給食《きゅうしょく》の献立《こんだて》を当《あ》てられるよ。

美希《みき》ちゃんの食欲《しょくよく》がなせるわざだね……。

人間《にんげん》の活動《かつどう》が海《うみ》の生《い》き物《もの》たちに
意外《いがい》な影響《えいきょう》を与《あた》えているんだねえ。

1週間後《しゅうかんご》、「ハピネス・ピープルズ」の清井心也社長《きよいしんやしゃちょう》による「エデン・プロジェクト」の建設記念《けんせつきねん》セレモニーが、花森町《はなもりちょう》の野外広場《やがいひろば》で行《おこな》われた。このイベントは、世界中《せかいじゅう》に生配信《なまはいしん》されるという。

健太《けんた》と美希《みき》、真実《しんじつ》は江古田《えこた》に教《おし》えてもらい、セレモニーに足《あし》を運《はこ》んでいた。

「午後《ごご》はアイスティー片手《かたて》に、新刊《しんかん》のミステリー本《ぼん》を読《よ》むつもりだったのに」

二人《ふたり》に無理《むり》に連《つ》れてこられた真実《しんじつ》だけは、気乗《きの》りしない様子《ようす》だった。

美希《みき》はおかまいなしに、興奮気味《こうふんぎみ》に話《はな》す。

「清井《きよい》さん、このあいだ世界的《せかいてき》な雑誌《ざっし》で、未来《みらい》のリーダー10人《にん》に選《えら》ばれたんだよ！」

「環境《かんきょう》にやさしい、ごみを活用《かつよう》するすごい技術《ぎじゅつ》を開発《かいはつ》したんだよね。ぼくもうれしくて、その雑誌《ざっし》を2冊《さつ》も買《か》っちゃったよ。1冊《さつ》は今日《きょう》、サインしてもらうんだ」

そう言《い》う健太《けんた》だが、ふと、心配《しんぱい》そうな表情《ひょうじょう》を見《み》せた。

「この間《あいだ》のファフロツキーズ現象《げんしょう》みたいなのが、また起《お》きなければいいけど……」

イベントが始《はじ》まり、来場者《らいじょうしゃ》から熱《あつ》い拍手《はくしゅ》を浴《あ》びて登場《とうじょう》した清井《きよい》がみんなに手《て》を振《ふ》る。

健太《けんた》と美希《みき》も、手《て》を振《ふ》り返《かえ》した。

それは突然《とつぜん》のことだった。

舞台上《ぶたいじょう》の巨大《きょだい》ビジョンに大《おお》きく映《うつ》っていた清井《きよい》の顔《かお》が、一瞬《いっしゅん》にして真《ま》っ赤《か》に染《そ》まった。

驚《おどろ》いた会場《かいじょう》の人々《ひとびと》から悲鳴《ひめい》があがる。

「清井《きよい》さんっ!!」

心配《しんぱい》した健太《けんた》は、とっさに声《こえ》をあげた。

舞台《ぶたい》の周《まわ》りで警護《けいご》していたSP《エスピー》が素早《すばや》く駆《か》けつけて、しゃがんだ清井《きよい》の上《うえ》におおいかぶさり、盾《たて》となった。

清井《きよい》は無事《ぶじ》で、出血《しゅっけつ》してはいなかった。突然《とつぜん》、頭上《ずじょう》からドロドロした大量《たいりょう》の真《ま》っ赤《か》な液体《えきたい》が落《お》ちてきたのだ。

美希《みき》も驚《おどろ》いて、真実《しんじつ》を見《み》る。

「一体《いったい》、何《なに》が起《お》きたんだろ!?」

真実《しんじつ》は、上空《じょうくう》を見上《みあ》げた。そこには、1羽《わ》のタカが飛《と》んでいた。

真実《しんじつ》が舞台近辺《ぶたいきんぺん》に目《め》を向《む》けると、破《やぶ》れた大《おお》きな風船《ふうせん》の残骸《ざんがい》が落《お》ちていた。

「そうか、タカと風船《ふうせん》を使《つか》ったのか……」

清井《きよい》は安全《あんぜん》のため、SP《エスピー》に保護《ほご》されて舞台裏《ぶたいうら》に退場《たいじょう》した。

すると、いきなり会場《かいじょう》の巨大《きょだい》ビジョンに、動物《どうぶつ》の頭《ず》がい骨《こつ》の形《かたち》をしたマスク姿《すがた》の5人組《にんぐみ》が浮《う》かび上《あ》がった。変声器《へんせいき》で変《か》えたであろう、奇妙《きみょう》な声《こえ》で語《かた》りかけてくる。

「我々《われわれ》が、民衆《みんしゅう》に真相《しんそう》を与《あた》えよう」

巨大《きょだい》ビジョンに映像《えいぞう》が流《なが》れ始《はじ》める。ヨチキと、その父親《ちちおや》がリビングらしき部屋《へや》で話《はな》す、隠《かく》し撮《ど》り映像《えいぞう》だ。

「父《とう》さん、もうこんなインチキな予言《よげん》やりたくない。イルカがかわいそうだよ」

「いまさらやめられへんよ。アリからなにを学《まな》んだんや？　働《はたら》きアリたちを利用《りよう》すればオレらは一生働《いっしょうはたら》かんですむんやぞ。みんなを追《お》い出《だ》して土地《とち》を手《て》に入《い》れたら大《おお》もうけできる。あの清井《きよい》さんも高額《こうがく》の機械《きかい》を提供《ていきょう》して、応援《おうえん》してくれてるんや」

衝撃的《しょうげきてき》な映像《えいぞう》を見《み》て、参加者《さんかしゃ》は黙《だま》ってしまった。健太《けんた》も、戸惑《とまど》いを口《くち》にした。

「何《なに》、いまの映像《えいぞう》!?　全然意味《ぜんぜんいみ》がわかんないよ、どういうこと？」

数日後《すうじつご》、美希《みき》、健太《けんた》、真実《しんじつ》は、新聞社《しんぶんしゃ》の支社《ししゃ》で江古田《えこた》と会議《かいぎ》をしていた。

「連載《れんさい》、あいかわらず好評《こうひょう》だよ！　子《こ》どもたちからも反響《はんきょう》がたくさん来《き》てるよ」

自分《じぶん》の記事《きじ》が好評《こうひょう》と聞《き》いて、美希《みき》はうれしかった。だが、先日《せんじつ》の清井《きよい》が行《おこな》ったセレモニーでの配信《はいしん》ジャック事件《じけん》の衝撃《しょうげき》が、心《しん》の中《なか》でまだ尾《お》を引《ひ》いていた。

清井《きよい》は後日《ごじつ》、動画《どうが》で「あれは作《つく》られたフェイク動画《どうが》であり、完全《かんぜん》なデマである」とのコメントを発表《はっぴょう》した。そして、自分《じぶん》の信条《しんじょう》として、あらゆる生物《せいぶつ》を傷《きず》つける人間《にんげん》を絶対《ぜったい》に許《ゆる》すことはできないと、涙《なみだ》ながらに語《かた》った。

健太《けんた》も、怒《おこ》っていた。

「デマまで使《つか》って、あんながんばっている清井《きよい》さんの足《あし》をひっぱって、嫌《いや》がらせをするなんて許《ゆる》せないよ！　こないだのアイツら、一体何者《いったいなにもの》なんだろ？」

「それがね、実《じつ》は……、最近《さいきん》ネットに、こんな動画《どうが》が出回《でまわ》っているんだ」

江古田《えこた》はそう言《い》って、ノートパソコンでとある動画《どうが》を再生《さいせい》した。

真《ま》っ暗《くら》な画面《がめん》に煙《けむり》が漂《ただよ》い、ＣＧ《シージー》で作《つく》られたリアルな古代《こだい》の石板《せきばん》が浮《う》かび上《あ》がる。特徴的《とくちょうてき》

8の月。
世界の緑が

なフォントの白《しろ》い文字《もじ》が、ゆっくりとその石板《せきばん》に刻《きざ》まれていく。


8の月《つき》。

世界《せかい》の緑《みどり》がつどうとき、汝《なんじ》の足元《あしもと》を見《み》よ。

暗黒《あんこく》の世界《せかい》の扉《とびら》が開《ひら》く

ダークアイ

「意味不明《いみふめい》。何《なに》、なにこの文章《ぶんしょう》……何《なに》かの予言《よげん》？　ダークアイって、人《ひと》の名前《なまえ》かな」

美希《みき》はつぶやいた。健太《けんた》は、顔《かお》をしかめる。

「え〜、また予言《よげん》!?　じゃあ絶対《ぜったい》インチキだ。江古田《えこた》さん、これがどうかしたんですか？」

江古田《えこた》は神妙《しんみょう》にうなずき、おもむろに画面《がめん》を指《ゆび》さした。

ダークアイという文字《もじ》の横《よこ》に、動物《どうぶつ》の骨《ほね》をかたどったマークが刻《きざ》まれていた。

「それが、このマーク、先日《せんじつ》の騒《さわ》ぎを起《お》こしたやつらがかぶっていた動物《どうぶつ》の頭《ず》がい骨《こつ》の形《かたち》をしたマスクと同《おな》じなんだよ……」

健太《けんた》と美希《みき》は、背筋《せすじ》に冷《つめ》たいものが走《はし》るのを感《かん》じた。
黙《だま》ったままの真実《しんじつ》は、メッセージが映《うつ》った画面《がめん》をじっと見《み》つめていた。

（後編《こうへん》につづく）

その後《ご》の科学《かがく》探偵《たんてい》「江古田《えこた》が教《おし》える記者《きしゃ》の心得《こころえ》」

著者紹介

佐東みどり

脚本家・作家。アニメ「サザエさん」「ハローキティとあそぼう！まなぼう！」などを担当。小説に「恐怖コレクター」シリーズ、「謎新聞ミライタイムズ」シリーズなどがある。

（執筆：プロローグ、1章）

石川北二

監督・脚本家。脚本家として、映画「かずら」（共同脚本）、映画「燐寸少女 マッチショウジョ」などを担当。監督としての代表作に、映画「ラブ★コン」などがある。

（執筆：3章）

木滝りま

脚本家・作家。脚本家として、ドラマ「念力家族」「ほんとにあった怖い話」、アニメ「スイートプリキュア♪」など。代表作に、『世にも奇妙な物語 ドラマノベライズ 恐怖のはじまり編』がある。

（執筆：2、4章）

田中智章

監督・脚本家。脚本家として、アニメ「ドラえもん」、映画「シャニダールの花」などを担当。監督としての代表作に、映画「放課後ノート」「花になる」などがある。

（執筆：5、6章、エピローグ）

挿画

kotona

イラストレーター。児童書や書籍の挿絵のほか、キャラクターデザインなどで活躍中。

HP：marble-d.com

（マーブルデザインラボ）

ブックデザイン
アートディレクション

辻中浩一
＋
吉田帆波（ウフ）

※この本は、朝日小学生新聞（2022年7月〜8月）が初出。

監修　金子丈夫（元筑波大学附属中学校副校長）、パンク町田（動物作家）、平山廉（３章、早稲田大学教授）
編集デスク　福井洋平
校閲　朝日新聞総合サービス（宅美公美子、野口高峰）

本文図版　倉本るみ
コラム図版　佐藤まなか、マカベアキオ
写真　朝日新聞社、iStock、PIXTA、前田絵理子 / アフロ（P53）、地質調査総合センター Web コンテンツ（P110）
キャラクター原案　木々
ブックデザイン / アートディレクション　辻中浩一 + 吉田帆波（ウフ）

おもな参考文献
『新編　新しい理科』３～６（東京書籍）／『週刊かがくる　改訂版』１～50 号（朝日新聞出版）／『週刊かがくるプラス　改訂版』１～50 号（朝日新聞出版）／『イルカの大研究』（PHP 研究所）／『クジラ・イルカ大百科』（阪急コミュニケーションズ）／『ナショナル　ジオグラフィック』（日経ナショナル ジオグラフィック）

科学探偵《かがくたんてい》 謎野真実《なぞのしんじつ》シリーズ

科学探偵《かがくたんてい》 vs.《ブイエス》 超《ちょう》・自然現象《しぜんげんしょう》（前編《ぜんぺん》）

2022 年 11 月 30 日　第 1 刷発行
2023 年 5 月 20 日　第 3 刷発行

著　者　作：佐東みどり　石川北二　木滝りま　田中智章　　絵：kotona
発行者　片桐圭子
発行所　朝日新聞出版
〒 104-8011
東京都中央区築地 5-3-2
編集　生活・文化編集部
電話　03-5541-8833（編集）
　　　03-5540-7793（販売）

印刷所・製本所　大日本印刷株式会社
ISBN978-4-02-332221-9
定価はカバーに表示してあります